FILM

D1157991

Andrea Gronemeyer studierte Theater-, Film- und Fernsehwissenschaft in Köln und Florenz. Sie ist heute künstlerische Leiterin des Theaters »Comedia« in Köln. In der Reihe DuMont Schnellkurs erschien von ihr bereits der Band »Theater«.

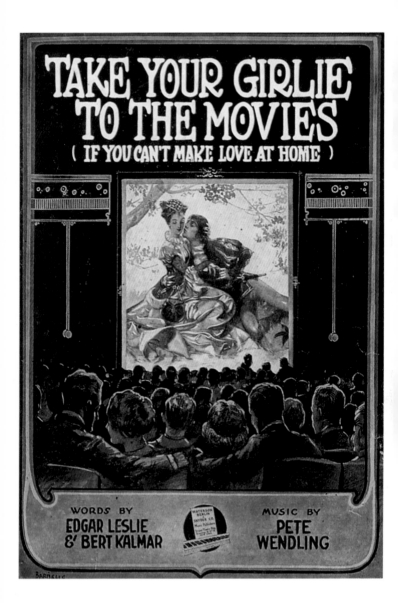

FILM

Andrea Gronemeyer

DUMONT

Impressum

Umschlagvorderseite von links nach rechts und von oben nach unten:
Chronofotografie von Etienne-Jules Marey, 1882 / Marilyn Monroe in »Das verflixte 7. Jahr«,
R.: Billy Wilder, 1955 / Charles Chaplin bei den Dreharbeiten zu »Goldrausch«, 1924 / Das
Firmenzeichen der Twentieth Century Fox / Szenenfoto aus »Im Reich der Sinne«, R.: Nagisa
Oshima, 1976 / Multiplex-Kino in Hannover / Original-Filmplakat zu »Vom Winde verweht«,
R.: Victor Flemming, 1939 / Alfred Hitchcock mit Zigarre und Vogel, Promotion-Foto für sei-
nen Film »Die Vögel«, 1963 / Szenenfoto aus »Metropolis«, R.: Fritz Lang, 1926 / Szenen-
foto aus »Fanny und Alexander«, R.: Ingmar Bergman, 1982 / Kinopublikum mit 3-D-Brillen in
New York / Figur aus »Toy Story«, R.: John Lasseter, 1995

Umschlagrückseite von oben nach unten:
Mickey Mouse und der Zauberer in »Fantasia«, R.: James Algar, 1940 / Steven Spielberg mit
Kamera bei Filmaufnahmen zu »Jurassic Park«, 1996 / Original-Filmplakat zu »Panzerkreuzer
Potemkin«, R.: Sergej Eisenstein, 1925

Frontispiz: »Take Your Girlie to the Movies (if you can't make love at home)«, Titelseite einer
Notenausgabe eines amerikanischen Schlagers, um 1919

Zahlreiche der in diesem Buch verwendeten Abbildungen stammen aus dem Werbematerial
diverser Film. und Verleihgesellschaften, denen an dieser Stelle gedankt sei: Columbia
Pictures, Lucasfilm Ltd., MGM, Paramount Pictures Corporation, RKO-General, United Artists,
Universal Pictures, United International Pictures und Warner Bros.

Die Deutsche Bibliothek - CIP-Einheitsaufnahme

Gronemeyer, Andrea:
Film / Andrea Gronemeyer. Orig.-Ausg. – Köln : DuMont, 1998
   (DuMont-Taschenbücher ; 514 : DuMont Schnellkurs)
   ISBN 3–7701–3844–9

Originalausgabe
© 1998 DuMont Buchverlag, Köln
Alle Rechte vorbehalten
Satz: Nicole Hardegen, Köln
Druck und buchbinderische Verarbeitung: Editoriale Libraria

Printed in Italy   ISBN 3–7701–3844–9

Inhalt

Inhalt

Was ist Film? Das Wort bedeutet soviel wie »Häutchen« und bezeichnet ursprünglich nur das beschichtete Zelluloid, auf dem die ersten Bildsequenzen aufgezeichnet wurden. Die Besucher der frühesten Filmvorführungen im Jahr 1895 begeisterten sich freilich weniger für das neuartige Material als vielmehr für die verblüffende Reproduktion der Wirklichkeit in bewegten Bildern; noch heute ist ja der amerikanische Oberbegriff für die populäre Unterhaltungsform *motion-picture* oder, fast liebevoll, *movie*.

Doch auch wer von »Kino« spricht und sich damit etymologisch auf eines der ersten erfolgreichen Aufnahme- und Wiedergabegeräte, den »Cinématographe Lumière«, bezieht, wird heute vermutlich weniger an Kamera und Projektor als an die Gattung im allgemeinen bzw. an die Abspielstätte denken. In Frankreich, wo man zu Recht stolz auf Pionierleistungen im Bereich der Filmtechnik und des Kinomarktes ist, gibt es nicht nur die Begriffe *film* und *cinéma*, sondern auch die *cinématographie*, den Film als Kunstgattung. Die technischen, wirtschaftlichen und ästhetischen Aspekte darzustellen, die sich in diesen unterschiedlichen Begriffen manifestieren, ist Aufgabe der Filmgeschichtsschreibung. Auch dieser Schnellkurs – gleichsam eine Filmgeschichte im ›Zeitraffer‹ – will nicht nur eine Chronik der Meisterwerke bieten, sondern eine Geschichte der technischen Innovationen und wirtschaftlichen Einflüsse, die für die Entwicklung des Kinos bestimmend sind. Als Mittel und Gegenstand gesellschaftlicher Kommunikation kann der Film darüber hinaus nicht unabhängig von Zeitgeschehen, Kultur und Mode betrachtet werden, auf die er stets auf vielfältige Weise zurückgewirkt hat.

Film ist eines der einflußreichsten Massenmedien unserer Zeit. Auf der ganzen Welt sehen Millionen von Menschen rund um die Uhr Filme. Allein die Filmtheater ziehen jährlich etwa 15 Milliarden Zuschauer an. Kunst- und Experimentalfilme, reine Unterhaltungsware, Dokumentationen, Animationsfilme und, last but not least, die Werbespots werden nicht mehr nur durch das Kino verbreitet. Sie erreichen uns über Fernsehkanäle und das Internet, auf Video und CD-ROM, sogar im Flugzeug und in der Straßenbahn: Filme verfolgen uns. Menschen schauen sich Filme an, um der Wirklichkeit zu entfliehen oder um möglichst viel über sie zu erfahren. Filme spiegeln Träume und Alpträume, die großen Ängste ebenso wie die kleinen romantischen Sehnsüchte; Filme indoktrinieren, aber sie klären auch auf, meistens jedoch, und das ist wohl ihr schönster Zweck, wollen sie uns ›nur‹ unterhalten.

Der »Schnellkurs Film« erzählt nicht nur eine, sondern viele Geschichten des Films, er nennt Zahlen und Fakten, aber er ist weder ein Filmlexikon noch ein biographisches Nachschlagewerk, das Anspruch auf Vollständigkeit erhebt. Er möchte Entwicklungslinien aufzeigen, Zusammenhänge verständlich machen und einige ›Spots‹ auf das Leben vor und hinter der Kamera richten.

Andrea Gronemeyer

Um 1000
Erste Beschreibung des Prinzips der Camera obscura durch den arabischen Gelehrten Ibn al-Haitham

Um 1100
Das Schattenspiel breitet sich von China über ganz Asien aus.

Um 1500
Die Camera obscura wird in Europa bekannt.

1590
Erfindung des Mikroskops

1608
Erfindung des Fernrohrs

1671
Älteste Beschreibung einer Laterna magica

1765
James Watt entwickelt die Dampfmaschine.

1822
Entdeckung des Kalklichts fördert die Verbreitung der Laterna magica.

1826
Nièpce gelingt die erste Fotografie.

1830
Eröffnung der ersten Eisenbahnlinie zwischen Liverpool und Manchester

1833
Stampfer und Plateau entwickeln unabhängig voneinander das Lebensrad.

1839
Daguerre stellt die Daguerreotypie öffentlich vor; Talbot belichtet auf Papier und erfindet das Negativ-Verfahren.

1851
Beginn der Produktion von Nähmaschinen

Edisons Kinetoscope zeigt noch kein Kino, denn von Kino kann erst dann gesprochen werden, wenn ein Film nicht nur einem einzelnen Zuschauer, sondern einem größeren Publikum vorgeführt wird.

Wer erfand das Kino?

Das Jahr 1895 gilt als Geburtsjahr des Films. Den Wettlauf um die erste öffentliche Präsentation »lebender Photographien« gewinnen zwar die Brüder Skladanowsky am 1. November 1895 in Berlin, größere Bedeutung für die Filmgeschichte wird aber der Vorführung der Brüder Lumière im Grand Café von Paris acht Wochen später, am 28. Dezember, zugeschrieben. Ihre Erfindung des Cinématographen, der dem Bioskop der Skladanowskys technisch überlegen war, wird heute als eigentlicher Durchbruch zur modernen Filmtechnik gewertet. Freilich könnte auch Thomas Alva Edison Anspruch auf die Urheberschaft des neuen, die Welt verändernden Mediums erheben, wäre denn sein Kinetograph, dessen laufende Bilder 1893 in einem speziellen Betrachtungsgerät, dem Kinetoscope, zu bestaunen waren, mehr als einem einzigen Zuschauer gleichzeitig zugänglich gewesen.

Die explosionsartigen Entwicklungen des Jahres 1895 haben jedoch eine Vorgeschichte. Ohne die ›magischen‹ Spielereien mit der Camera obscura und der Laterna magica gäbe es schließlich keine Projektion, ohne die Entdeckung des stroboskopischen Effektes keine Bewegungsillusion, ohne die Fotografie kein in Bewegung zu setzendes Bildmaterial.

Die Faszination des bewegten Bildes

Das Bild ist das einfachste und allgemeinverständlichste Mittel zur Erfahrungs- und Erlebnisvermittlung. Seit frühester Zeit strebten Menschen danach, nicht einfach die Welt, sondern die Welt in Bewegung darzustellen. Steinzeitliche Höhlenbilder verblüffen durch die Genauigkeit, mit der Tiere, Jäger und Tänzer in Bewegung festgehalten sind. Bildergeschichten auf ägyptischen Grabfriesen bilden scheinbar eine Reihe von Wiederholungen immer gleicher Figuren ab, die sich bei genauem Hinsehen als differenzierte Studie einzelner Bewegungsphasen entpuppen. Diese aneinandergereihten Reliefs etwa eines laufenden Kriegers, der seinen Speer immer höher hebt, oder eines die Sichel schwingenden Schnitters weisen eine erstaunliche Ähnlichkeit mit den aufeinanderfolgenden Einzelbildern eines Filmstreifens auf.

Max Skladanowsky und sein Bioskop

In Asien versteht man sich seit mindestens 1000 Jahren auf die Projektion bewegter Bilder. Die ältesten Zeugnisse über Schattenspiele, bei denen Götter und Helden, Fabeltiere und Dämonen auf eine Leinwand gezaubert wurden, stammen aus dem China des 11. Jahrhunderts. Die filigranen zweidimensionalen Figuren aus gegerbter Tierhaut waren kunstvoll farbig bemalt und so dünn, daß sie das Licht einer Öllampe durchscheinen ließen und sich farbige Schatten auf der Leinwand bewegten. Vor allem in Indonesien ist das Schattenspiel Wayang Kulit bis heute populär.

Von der Camera obscura zum Fotoapparat

Fast alle frühen Versuche, Bilder zu projizieren und in Bewegung zu setzen, dienten dazu, das Wirken übersinnlicher Kräfte vorzutäuschen. So ließen sich im 16. Jahrhundert in Europa Sensationslustige durch die erstaunliche Trickkiste eines reisenden Italieners namens Giovanni Battista della Porta in Angst und Schrecken versetzen. In einem verdunkelten Zimmer ›zauberte‹ er dem erstaunten Publikum einen Teufel herbei. Dafür wandte Porta das um die Jahrtausendwende erstmals beschriebene Prinzip der Camera

1874
In New York fährt die erste elektrische Straßenbahn.
1875
Thomas A. Edison erfindet den Phonographen, das Mikrophon und die Glühbirne.
1876
Bell präsentiert auf der Weltausstellung in Philadelphia sein Telefon; Remington produziert die erste mechanische Schreibmaschine.
1877
Reynaud präsentiert sein Praxinoskop.
1882
Marey belichtet mit seinem »Chronophotographen« in einer Sekunde zwölf Aufnahmen auf einer Platte.
1887
Erfindung des Zelluloid-Rollfilms
1892
Rudolf Diesel erfindet den Dieselmotor, Edison stellt das Kinetoscope vor.
1894
Eröffnung eines Kinetoscope-Ladens in New York
1895
Erste öffentliche Filmvorführungen durch die Brüder Skladanowsky in Berlin und die Brüder Lumière in Paris

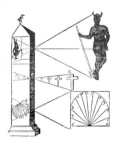

Das Prinzip der Camera obscura war Naturforschern und Gelehrten mindestens seit der Jahrtausendwende bekannt.

obscura an, der »dunklen Kammer«, an, das der arabische Gelehrte Ibn al-Haitham entdeckt hatte, als er nach einer Vorrichtung suchte, mit der er eine Sonnenfinsternis ohne Schaden für seine Augen beobachten konnte. Er machte sich die Tatsache zunutze, daß Licht, das durch eine kleine Öffnung in einen ansonsten völlig dunklen Raum fällt, das Abbild von Gegenständen und Bildern, die sich vor der Lichtöffnung befinden, auf helle Wände projiziert. Porta plazierte sein Publikum in der Camera obscura mit dem Rücken zu der Öffnung, während außerhalb des Zimmers ein Gehilfe im Teufelskostüm vor dem Loch in der Wand agierte. Obwohl die Camera obscura verkehrt herum projiziert und der Teufel auf dem Kopf stehend erschien, verfehlte er seine Wirkung nicht, so daß sich das neue Spielzeug schnell in ganz Europa verbreitete. Wissenschaftler wie Schausteller adaptierten das Prinzip für ihre Zwecke und entwickelten es weiter. Man erkannte etwa, daß eine in die Lichtöffnung eingesetzte Linse das Projektionsbild verbesserte und daß man das Bild mittels eines schräggestellten oder Hohlspiegels in die ›richtige‹ aufrechte Stellung rücken konnte.

Im 18. Jahrhundert verwendeten Maler und Zeichner eine wesentlich verkleinerte, transportable Camera obscura zur Anfertigung möglichst wirklichkeitsgetreuer Bilder. Sie projizierten das Abbild von Gegenständen oder Landschaften auf Zeichenpapier oder eine Leinwand und pausten es dann ab. Das Bedürfnis, dieses Abbild direkt zu fixieren, führte im 19. Jahrhundert zur Erfindung der Fotografie, die bis heute auf dem optischen Prinzip der Camera obscura fußt.

Die Camera obscura als Zeichenhilfe um 1750

Erste Projektion mit einer Zauberlaterne

Großen Erfolg auf dem Jahrmarkt der Kuriositäten und Wundergeräte feierte im Europa des 18. Jahrhunderts die Urform des modernen Diaprojektors, die Laterna magica. Ein Zeitgenosse beschrieb sie als »ein kleines Hilfsmittel, das dazu dient, auf einer weißen Wand Gespenster und schreckliche Ungeheuer sichtbar zu machen, was jenen, die das Geheimnis nicht kennen, wie

Zauberei vorkommt«. Das Geheimnis der Zauberlaterne hatte der Gelehrte Anthanasius Kircher freilich bereits 1671 in seinem Traktat »Ars magna lucis et umbrae« gelüftet. Er beschrieb eine Vorrichtung, mit der man kleine, auf Glasplatten gemalte Bildchen auf eine weiße Wand projizieren konnte. Dazu setzte man eine Lichtquelle, deren Wirkung durch einen Hohlspiegel verstärkt wurde, in einen kleinen Kasten. Die bemalten Glasplatten wurden nun, auf dem Kopf stehend, zwischen die Kerze und die einzige Lichtöffnung des Kastens geschoben. Eine Sammellinse vor der Öffnung bündelte das durch das Glasbild scheinende Licht, so daß in einem verdunkelten Raum ein deutliches Bild auf die Wand geworfen wurde.

Es ist umstritten, wer die Laterna magica erfand und wann sie das erste Mal benutzt wurde. Diese Skizze von Johannes Zahn entstand 1686.

Vor allem das leseunkundige Volk ließ sich von Scharlatanen und Magiern auf den Jahrmärkten hinters Licht führen. Aber auch in feinen Salons narrten geschäftstüchtige Geisterbeschwörer ihr gebildetes Publikum mit vorgeblichen Auftritten von Teufeln, Gespenstern und herbeigerufenen Toten, deren Bilder im Rahmen einer wohlinszenierten Vorstellung effektvoll auf weißen Rauch projiziert wurden. Die Laterna magica blieb bei diesem Spuk selbstverständlich im verborgenen. Im aufgeklärten 19. Jahrhundert nutzten Wissenschaftler das praktische Gerät für die Auflockerung ihrer Vorträge durch die Projektion von erläuterndem Bildmaterial, und die Spielzeugindustrie bot die Zauberlaterne gewinnbringend als Sensation für die Kinderzimmer wohlhabender Bürger an.

Die Erfindung des Cinématographen verdrängte schließlich die Zauberlaterne vom Markt der Kuriositäten, doch ohne sie hätte es am 28. Dezember 1895 keine Filmpremiere im Grand Café von Paris gegeben: Die Gebrüder Lumière setzten eine Laterna magica als Lichtwerfer für die Filmprojektion ein.

Bewegungsillusion

Mit der Laterna magica war eine wesentliche Voraussetzung für die Kinematographie geschaffen: die Möglichkeit zur Projektion von Bildern vor einem größeren Publikum. Diese Bilder standen jedoch noch still. Von den Überblendungen mit Schiebebildchen in der Zauberlaterne führte keine Entwicklung zu einer echten Bewegungsillusion. Bis ins 19. Jahrhundert war die Herstellung bewegter Bilder stets von wirklicher, mit der Projektion einhergehender Bewegung abhängig: Die Figuren des Schattentheaters wurden von Puppenspielern geführt, und della Portas Teufel mußten vor der Lichtöffnung der Camera obscura herumspazieren, um als Projektion zu erscheinen.

Um jedoch fotografisch oder zeichnerisch fixierte Bilder in Bewegung zu setzen, bedurfte es der Entdeckung eines besonderen optischen Effektes. Daß wir die Projektion eines Filmstreifens als ›lebendes Bild‹ wahrnehmen, beruht auf einer optischen Täuschung. Ein Filmstreifen besteht aus einer Aneinanderreihung vieler kleiner Bilder, die in winzigen Schritten die einzelnen Phasen einer Bewegung abbilden. Wenn das menschliche Auge diese Einzelbilder in schneller Abfolge – optimal sind 24 Bilder pro Sekunde – wahrnimmt, verschmelzen sie zu einem ›lebenden Bild‹. Lange Zeit ging die Wissenschaft davon aus, daß dieser Effekt der Trägheit des menschlichen Auges zu verdanken sei, die die sogenannte Nachbildwirkung zur Folge hat: Das Auge hält den Eindruck eines Bildes noch kurze Zeit fest, nachdem es schon verschwunden ist. So kann der Eindruck eines ersten mit dem eines zweiten, schnell nachfolgenden Bildes zu einem einzigen Bild verschmelzen.

Im Laufe der Zeit entstanden unterschiedlichste Apparaturen. Durch die Verwendung mehrerer Objektive ermöglichte man z. B. Auf- und Abblenden. Dreiäugige Laterna magica, um 1885

Der stroboskopische Effekt

Heute weiß man, daß allein eine blitzlichtartige Wirkung, der stroboskopische Effekt, für die Bewegungsillusion des Films verantwortlich ist. Die schnelle Abfolge von Einzelbildern verschmilzt nur dann zu einem Bewegungsfluß, wenn die Projektion der Bilder jeweils durch eine kurze Dunkelphase unterbrochen wird. Diesen Effekt entdeckte der englische Naturforscher Michael Faraday, als er herauszufinden versuchte,

Bewegungsillusion erreichte man, indem man zwei Glasbildchen übereinander montierte und auf einer Schiebevorrichtung während der Projektion mit der Laterna magica gegenläufig bewegte. Schiebebilder mit zwei Bewegungsphasen um 1850

warum wir die Bewegung eines Speichenrades, das hinter einem Lattenzaun vorbeifährt, als stillstehend oder sogar rückwärtslaufend wahrnehmen. Er kam zu dem Schluß, daß das Auge unterbrochene Bildeindrücke zu verzerrten oder falschen Bildern zusammensetzt. Dieser sogenannte stroboskopische Effekt verändert nicht nur die Wahrnehmung von tatsächlicher Bewegung, sondern kann umgekehrt in speziellen Anordnungen auch Scheinbewegung vortäuschen.

Ein Rad bringt Leben ins Bild

Der Belgier Joseph Plateau und der Österreicher Simon Stampfer nutzten Faradays Entdeckung und entwarfen unabhängig voneinander ein Spielzeug, das als erstes tatsächlich bewegte Bilder hervorbrachte. Stampfers Stroboskop und Plateaus Phenakistiskop bestanden jeweils aus einer runden Scheibe, auf deren äußerem Rand Phasenbilder einer Bewegung, z. B. ein seilspringendes Kind, gemalt waren. In einem inneren Kreis darunter waren Sehschlitze angebracht. Stellt man sich nun mit dem Gerät vor einen Spiegel und betrachtet das Spiegelbild der rotierenden Scheibe durch die Sehschlitze, so ergibt sich der Bildeindruck einer wirklichen Bewegung des Kindes. Die dunklen Flächen zwischen den Schlitzen unterbrechen den Blick auf die Bildchen im Spiegel und lösen so den stroboskopischen Effekt aus. Diese erste Vorrichtung zur Erzeugung bewegter Bilder erhielt den schönen Namen Lebensrad.

Das Thaumatop ist ein Kinderspielzeug, das sich die optische Wirkung des Nachbildeffektes zunutze macht. Die kleine Papierscheibe ist auf der Vorder- und Rückseite bemalt. Wenn man die an den Seiten befestigten Bänder zwischen den Fingern zwirbelt, beginnt die Scheibe zu rotieren, und die Einzelbilder setzen sich zu einem zusammen, hier einem tanzenden Paar.

Im Jahr 1833 gab es in allen Ländern Spielzeuge nach dem Prinzip des Lebensrades zu kaufen. Den Spiegel ersetzte man bald durch eine zweite Scheibe, auf die die Phasenbilder gemalt wurden. Ließ man die Bildscheibe gegenläufig zur Spaltenscheibe rotieren, so entstand ein schärferes und deutlicheres Bild als bei der ursprünglichen Konstruktion mit dem Spiegel.

Noch mehr Spielzeuge

Die Entdeckung des stroboskopischen Effekts zog die Erfindung und Vermarktung einer Reihe von ebenso einfachen wie verblüffenden Spielzeugen nach sich. Das beliebte Daumenkino zum Beispiel ist nichts weiter als ein kleines Büchlein, dessen Seiten einseitig mit aufeinanderfolgenden Phasenbildern bedruckt sind. Läßt man diese schnell zwischen Daumen und Zeigefinger abblättern, so entsteht der Eindruck eines lebenden Bildes. Nach demselben Prinzip funktioniert das aufwendigere Mutoskop. In diesem Betrachtungsgerät sind zahlreiche Phasenbilder rund um eine Achse befestigt, die mittels einer Kurbel oder eines Elektromotors zum Rotieren gebracht werden. Vor dem Guckloch blättert ein Stift den Bilderkranz ab, und dem Betrachter präsentieren sich ganze Szenen wie z. B. ein Boxkampf oder der damals sehr beliebte Serpentinentanz.

Der Zauber der lebenden Bilder faszinierte die Massen, und die Hersteller der neuartigen Spielzeuge versahen ihre Waren mit entsprechend verheißungsvollen Namen. Das Zoetrop zum Beispiel, eine weitere Erfindung, die sich das Prinzip des Lebensrades zunutze machte, wurde als Wundertrommel an die Käufer gebracht. Die an der Innenseite so einer Wundertrommel angebrachten Phasenbildstreifen waren austauschbar, so daß der Betrachter, der von außen durch Sehschlitze ins Innere der rotierenden Trommel schaute, mit ein und demselben Gerät viele verschiedene Bildstreifen betrachten konnte.

Mutoskop von 1897

Bewegte Leinwand

Auf die naheliegende Idee, bewegte Bilder auf eine
Leinwand zu projizieren, um sie einem größeren
Publikum zugänglich zu machen, kam schließlich ein
österreichischer Offizier und passionierter Erfinder
namens Franz von Uchatius. Er kombinierte 1845 das
Lebensrad mit dem Prinzip der Laterna magica. In
sein eigens entwickeltes Projektionsgerät setzte er eine
Scheibe mit zwölf transparenten Bildern ein. Vor
jedem Bild brachte er eine Linse an und ließ das Pro-
jektionslicht hinter den Bildern rotieren, so daß diese
nacheinander, mit der notwendigen kurzen Dunkelphase, auf denselben Punkt der Leinwand projiziert
wurden. Diese noch recht umständliche Apparatur
wurde zum Verkaufsschlager, obwohl sie nur recht
kurze Bewegungsabläufe an die Wand werfen konnte.
Uchatius' Vorschlag, ein Gerät mit Linsen für 100 Bilder zu bauen, wurde nicht realisiert, weil ein solches
Projektionsgerät viel zu aufwendig gewesen wäre.

Der erste Zeichentrickfilm

Bilderstreifen zum Einle-
gen in die Wundertrom-
mel

Dem Franzosen Emile Reynaud gelang es schließlich,
kleine Zeichentrickfilme auf eine Leinwand zu projizieren. 1877 hatte er zunächst das »Praxinoskop« erfunden. Er ersetzte die Sehschlitze der Wundertrommel durch einen prismatischen Spiegelkranz um die
Rotationsachse des Geräts. Der Betrachter blickte auf
einen Punkt des sich gegenläufig zur Trommel drehen-
den Kranzes. Die Vielzahl der Spiegel sorgte für die
notwendige stroboskopische Unterbrechung, so daß
ein bewegtes Bild erschien. 1888 ließ Reynaud sein
»optisches Theater« patentieren. Mit diesem Gerät
konnte er beschichtete Filmstreifen projizieren, auf die
er die Bewegungsphasen kleiner Szenen eingeritzt und
anschließend koloriert hatte. Diese transparenten
Filmstreifen waren bereits mit Ösen versehen, die ein

Praxinoskop

Abspulen des Films von einer auf eine andere Rolle erlaubten. Das Licht einer Laterna magica leuchtete durch die Phasenbildchen und warf sie auf den Spiegelkranz, während ein zweiter Spiegel die Bewegungsillusion auf die Leinwand umlenkte.

Lichtbilder

In der Auflistung der notwendigen Erfindungen, die der Entwicklung der Kinematographie vorausgingen, darf die Entdeckung eines französischen Chemikers nicht fehlen. Das optische Verfahren der Fotografie, das der Camera obscura, war bereits seit Hunderten von Jahren bekannt, als Joseph Nicéphore Nièpce, angeregt durch seinen Landsmann, den Maler Louis Jacques Mandé Daguerre, einen chemischen Weg fand, das in die Camera obscura projizierte Lichtbild direkt, nicht erst mit Hilfe eines Zeichenstifts, zu fixieren. Nièpce setzte dazu eine mit Silbernitrat bestrichene Platte in die Kamera ein. Diese Lösung aus allerfeinstem Silberstaub, so wußte man bereits, verfärbt sich unter Lichtbestrahlung dunkel. 1826 gelang Nièpce auf diesem Weg eine erste Fotografie, doch die Belichtungszeit war noch viel zu lang, um ein deutliches Bild zu erzeugen. Daguerre fand schließlich heraus, daß das Bild auch nach kurzer Belichtungszeit schon latent vorhanden war und sichtbar wurde, wenn man die belichtete Platte im Dunkeln in Quecksilberlösung tauchte. Fixiert wurde das Bild anschließend in einer Salzlösung.

Nièpce verstarb vor der Veröffentlichung des Verfahrens (1839 vor der französischen Akademie der Wissenschaft), das deshalb ohne Würdigung des Partners als »Daguerreotypie« Verbreitung fand und in die Geschichte einging. Daguerreotypien waren freilich noch seitenverkehrte Lichtbilder, Unikate, die sich nicht vervielfältigen ließen. Auf dem Markt setzte sich statt dessen das Verfahren eines konkurrierenden Engländers durch, dem noch im Jahr von Daguerres Triumph die Belichtung auf beschichtetem Papier gelang. William Talbot wandte als erster das noch heute übli-

Plakat zu Reynauds »Théâtre Optique«

che Negativverfahren an. Von seinen Papierfotos konnten zahlreiche positive, also seitenrichtige, Abzüge gemacht werden.

Im Jahr 1887 stellte der amerikanische Geistliche Hannibal Goodwin die ersten Zellulosenitrat-Filmbänder her. Das sogenannte Zelluloid war mit einer hauchdünnen belichtungsfähigen Schicht versehen und ließ sich als Rollfilm in der Kamera transportieren. Die Eastman-Kodak-Company, die fast gleichzeitig und unabhängig von Goodwin mit Zelluloid als Material für Fotoaufnahmen experimentierte, wurde durch diese Erfindung zur größten Filmfabrik der Welt.

Der Schritt zur lebenden Fotografie

Obwohl die Fotografie bereits 1839 erfunden wurde und sich schnell verbreitete, verwandelten Lebensräder, Wundertrommeln, Daumenkinos, Mutoskope, Praxinoskope und das ›optische Theater‹ nur Gezeichnetes und Gemaltes in lebende Bilder. Die frühe Fotografie war nicht in der Lage, die für die Bewegungsillusion notwendigen kleinsten Abschnitte einer Bewegung in direkt aufeinander folgenden Phasenbildern zu fixieren. Dazu dauerte die Belichtung zu lange. Die ersten Versuche, Fotografien in einer Wundertrommel zu einem Bewegungsbild zu verschmelzen, waren mit erheblichen Qualen für die Fotomodelle verbunden. So hatten die Tänzer, die Henry R. Heyl in seinem Phantasmatrop – einem Projektions-Lebensrad mit ruckartigem Transportmechanismus – 1870 auf seinen ersten »lebenden Fotografien« präsentierte, in endlosen Sitzungen für die Zeitbelichtungen jeder einzelnen Bewegungsphase posieren müssen. Daß auf diese Weise kaum ein natürlicher Bewegungsablauf vorgetäuscht werden konnte, liegt auf der Hand. Bevor die Pioniere der Kinema-

Daguerreotypie von 1850

tographie, Edison, die Skladanowskys und die Lumières das Publikum mit komplexeren szenischen Handlungen und dokumentarischen Aufnahmen verblüffen und erschrecken konnten, mußten zunächst die technischen Voraussetzungen für Augenblicks- und Reihenfotografien geschaffen werden.

Eine Wette gibt den Anstoß

Die Lösung fanden Forscher, die eigentlich überhaupt kein Interesse am bewegten Bild hatten. Es ging ihnen vielmehr darum, mit den Mitteln der Fotografie natürliche Bewegungsphasen sichtbar zu machen, die für das menschliche Auge bis dahin nicht wahrnehmbar waren. Der amerikanische Senator Leland Stanford fragte sich zum Beispiel, in welcher Reihenfolge sein Pferd die Beine beim Galopp bewegte, und wettete angeblich mit einem Freund, daß es einen Moment gebe, in dem kein Bein den Boden berührt. Er beauftragte 1878 den renommierten englischen Fotografen Eadweard J. Muybridge, die einzelnen Bewegungsphasen fotografisch nachzuweisen. Dank der Einführung von Momentverschlüssen der Linse waren inzwischen ganz kurze Belichtungszeiten möglich geworden. Muybridge installierte für seine Aufnahmen zunächst 12, dann 24 und schließlich 100 Fotoapparate in immer kürzeren Abständen entlang der Rennbahn. Das Pferd selbst löste die Aufnahmen aus, indem es im Lauf die über die Bahn gespannten Kontaktdrähte einriß. Das Prinzip der Reihen- oder Chronofotografie war erfunden.

Eadweard Muybridge
(1830–1904)

Inspiriert von Muybridges Erfolg, vereinfachte der französische Arzt und Bewegungsforscher Etienne-Jules Marey 1882 das Verfahren der Reihenfotografie durch die Entwicklung seiner »photographischen Flinte«. Im Lauf dieser Kamera, die einem Gewehr nachempfunden war, installierte er ein Objektiv mit langer Brennweite. Ein Uhrwerk ›feuerte‹ die Flinte ab, in deren Magazin sich bis zu 25 kreisrunde Gelatineplatten für jeweils 12 Aufnahmen befanden. Während das Magazin sich einmal drehte, wurden in einer Sekunde bereits 12 Bilder einzeln belichtet.

Der Deutsche Ottomar Anschütz, Erfinder des Schlitzverschlusses für extrem kurze Belichtungszeiten, kam auf die Idee, die fotografisch fixierten Bewegungsphasen von Tieren und Menschen wieder ans Laufen zu bringen. Er konstruierte ein Betrachtungsgerät, den »Elektrischen Schnellseher«, den er 1894 der Öffentlichkeit vorstellte. Anschütz hatte auf Glasplatten aufgenommene Reihen-Diapositive auf eine hinter einem Guckloch rotierende Scheibe montiert. Vor dem Auge eines Betrachters wurden die rotierenden Fotografien einzeln von einem jeweils aufblitzenden Licht stroboskopisch beleuchtet und verschmolzen so wieder zur ursprünglichen Bewegung. Der Vollendung eines geplanten »Projektionsschnellsehers« kamen die Lumières mit der Präsentation ihres deutlich überlegenen Cinématographen allerdings zuvor.

Etienne-Jules Marey
(1830–1904)

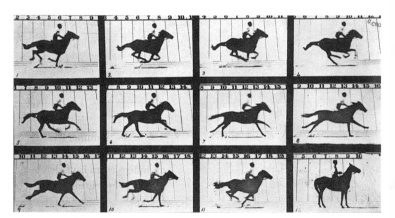

Eine von Muybridges ersten Reihenfotografien aus dem Jahr 1878

Vom Reihenbild zum laufenden Bild

Der Universalerfinder Thomas Alva Edison ist einer der wichtigsten Wegbereiter der Kinematographie, auch wenn seine Filmkamera kurioserweise nur nebenbei, gewissermaßen als Abfallprodukt seiner Forschungen zur Verbesserung des Phonographen, dem Vorläufer des Grammophons, entstand. Edison suchte nach einer Möglichkeit, Tonaufnahmen durch Bilder zu ergänzen. Angeregt durch Mareys Aufnahmen mit flexiblem Papiermaterial, experimentierte er, gemeinsam mit seinem Assistenten William Kennedy Laurie Dickson, als erster mit Zelluloidband. Er perforierte den Streifen auf jeder Seite mit vier Löchern pro Bild, was einen exakten ruckartigen Transport durch einen Zahnradmechanismus ermöglichte und folglich einen gleichmäßigen Bildabstand sicherte, und spulte den aufgerollten Streifen mittels einer Kurbel durch die Kamera. Mit dieser Perforierung und der Festlegung der Streifenbreite auf 35 mm setzte Edison bis heute gültige Standards.

Im Gegensatz zu den Wissenschaftlern vor ihm, die vor allem an präzisen Bewegungsstudien interessiert waren, erzählte Edison mit seinen Filmen von Anfang an kleine Geschichten. So produzierte er Filmstreifen von bis zu 30 Sekunden Länge – bis dahin hatten die in Bewegung gesetzten Reihenbilder Abläufe von höchstens ein bis zwei Sekunden gezeigt. Dickson baute ihm zwischen 1891 und 1893 das erste Filmstudio der Welt, die »Black Maria«, die diesen Namen ihrer Ähnlichkeit mit den Gefängniswagen der amerikanischen Polizei verdankte. Hier entstanden neben zahlreichen Varietéstücken mit Tänzerinnen, dressierten Tieren und Ringkämpfern auch kleine Spielszenen mit Titeln wie »Polizei hebt eine chinesische Opiumhölle aus«. 1896 schockierte Edison die Öffentlichkeit mit »Der Kuß«, einem Streifen, der in Nahaufnahmen den ersten Filmkuß zeigt. Dieser winzige Ausschnitt aus dem populären Bühnenstück »Die Witwe Jones« provozierte die wahrscheinlich erste Filmkritik der Geschichte, die in den Worten »völlig abstoßend« gipfelte, und brach nichtsdestotrotz alle bisherigen Publikumsrekorde.

Für die kommerzielle Auswertung seiner Filmproduktion ließ Edison in seinem Forschungslabor das Kinetoscope entwickeln, einen Guckkasten, in dem ein einzelner Betrachter nach Einwurf einer Münze die auf eine Mattscheibe projizierte Filmschleife anschauen

Die »Black Maria«, eine schwarz ausgeschlagene Blechhütte mit aufklappbarem Dach, ließ sich um ihre eigene Achse drehen, so daß das für die Aufnahmen notwendige Sonnenlicht in verschiedene Richtungen gelenkt werden konnte. Ihr Erfinder, Thomas Alva Edison (1847–1931) meldete über 1000 Patente an, u. a. für Glühbirnen, Phonographen, Verbundmaschinen, das Betongießverfahren und das Kohlekörnermikrophon, das das 1876 patentierte Telefon Bells erst über große Entfernungen nutzbar machte. Zwischen 1885 und 1892 brachte er auch das Kinetoscope, das er nur vermietete und das ausschließlich mit Filmen aus seiner Produktion betrieben werden durfte, in großen Mengen auf den Markt.

konnte. 1891 meldete er den Kinetographen zusammen mit dem Kinetoscope zum Patent an, verzichtete jedoch auf die Patentierung für den internationalen Markt. Offensichtlich glaubte Edison nicht an eine nennenswerte wirtschaftliche Zukunft der neuen Spielzeuge und unternahm deshalb zunächst auch keinen Versuch, ein Gerät zur Projektion von Filmen vor einem größeren Publikum zu entwickeln. Tatsächlich war jedoch bereits seinen Kinetoscope-Läden ein sensationeller Markterfolg beschieden. Nach der Eröffnung des ersten »Edison Parlor« in New York am 14. April 1894 schossen in anderen amerikanischen Großstädten, London, Paris, Berlin und Mexico-City die auch »Penny Arcades« genannten Automatenhallen wie Pilze aus dem Boden.

Die Schauspieler May Irwin und John C. Rice beim ersten Filmkuß der Geschichte

Optische Spielzeuge

Camera obscura: Optisches Prinzip, nach dem Licht, das durch ein kleines Loch in eine »dunkle Kammer« fällt, ein Bild von draußen, seitenverkehrt und auf dem Kopf stehend, auf die Rückwand der Kammer projiziert

Daumenkino: Abblätterbuch mit Phasenbildchen

Guckkasten oder **Raritätenkasten:** Tragbare Kiste mit Gucklöchern, durch die im Inneren beleuchtete Bilder betrachtet werden konnten

Laterna magica (Zauberlaterne): Zunächst mit Kerzenlicht betriebenes ältestes Projektionsgerät

Lebensrad: Eine Scheibe, rückseitig mit Phasenbildchen bemalt, die, vor einem Spiegel gedreht und durch die Sehschlitze der Scheibe betrachtet, als Bewegungsbilder wahrgenommen werden

Mutoskop: Mechanisch betriebenes Daumenkino

Panorama: Optischer Schaupalast, in dem der Besucher vom einem riesigen, 360° umspannenden Rundgemälde umgeben ist

Praxinoskop: Von Reynaud weiterentwickelte Wundertrommel, in der die Sehschlitze durch einen Spiegelkranz auf der Drehachse ersetzt sind

Phantasmatrop: Heyls Projektions-Lebensrad mit ruckartigem Transportmechanismus

Phenakistiskop: Plateaus Lebensrad

Stroboskop: Stampfers Lebensrad

Stroboskopischer Effekt: Optische Täuschung, die die Wahrnehmung von schnell hintereinander gezeigten und durch eine Dunkelphase unterbrochene Einzelbildern zu einem Bewegungsfluß verschmelzen läßt

Thaumatrop: Wunderscheibe, die beim schnellen Drehen aufgrund der Nachbildwirkung zwei Bilder zu einem verschmelzen läßt

Zoetrop: Drehbare Wundertrommel für austauschbare Phasenbildstreifen, die nach dem Prinzip des Lebensrads Bewegungsbilder illusioniert

1895
Stiftung des Nobelpreises; Wilhelm Röntgen entdeckt die X-Strahlen.
1896
Bei der Krönung von Zar Nikolaus II. kommt es zur Massenkatastrophe.
1898
Marie Curie entdeckt das Radium; Stanislawski bringt im neueröffneten »Künstlertheater« den Naturalismus nach Moskau.
1900
Boxeraufstand in China
1901
Thomas Mann: »Die Buddenbrocks«
1902
Bundesstaat Baden läßt Frauen zum Studium zu.
1903
Gründung der expressionistischen Künstlervereinigung »Die Brücke«
1903
Erster Motorflug der Gebrüder Wright

Die Zeit ist reif

Das Bestreben des Menschen, Bilder in Bewegung zu setzen und mittels bewegter Bilder Geschichten zu erzählen, läßt sich Jahrhunderte zurückverfolgen. Die eigentliche Filmgeschichte beginnt jedoch erst mit der Erfindung der Kinematographie, d. h. der technischen Apparatur, die vor allem durch die Entdeckungen des 19. Jahrhunderts möglich wurde. Doch nicht nur die enormen technischen Fortschritte, sondern auch der tiefgreifende gedankliche und soziale Wandel, der die industrielle Revolution flankierte, trieb die Entwicklung des neuen Mediums entscheidend voran. Die industrielle Massenproduktion mit ihren mechanisierten Arbeitsprozessen zog eine große Gruppe ähnlich sozialisierter Menschen mit gemeinsamen Wünschen und Bedürfnissen in die entstehenden Großstädte. Die Trennung von Arbeitszeit und Freizeit sowie die veränderte Struktur städtischen Wohnens erweckte in dem neuen Massenpublikum den Wunsch nach Zerstreuung und kommunikativem Zeitvertreib.

Sensationslust und Bildungshunger bildeten die Grundlage für die Entwicklung eines Marktes, der sich auf die Ware ›Massenunterhaltung‹ spezialisierte. Edison hatte in Verkennung dieses Trends zunächst auf seine Kinetoscopes, die einen Film statt einmal vor Hunderten, hundertmal vor einzelnen präsentierten, gesetzt und versäumte es sogar, diese außerhalb der USA patentieren zu lassen. In Deutschland arbeiteten unterdessen die Schaustellerfamilie Skladanowsky, in

Die Eisenbahn veränderte im 19. Jahrhundert die Erfahrung der Umwelt: Raum und Zeit erhielten einen anderen Stellenwert.

Frankreich die Fotofabrikanten Lumière, in England der Fotograf Birt Acres und der Instrumentenmacher Robert William Paul an Projektionsgeräten, die den Film einem Massenpublikum zugänglich machen sollten. Die Zeit war reif für die Kinematographie, und tatsächlich wurde die Technik der Filmaufnahme und -projektion in den industrialisierten Ländern fast gleichzeitig und fast unabhängig voneinander erfunden.

Schausteller haben die Nase vorn

Die Suche nach stets neuen Attraktionen für ihr Varieté-Programm veranlaßte die Brüder Max und Emil Skladanowsky dazu, Freizeit und Geld in die Entwicklung einer Apparatur zu investieren, die ›lebende Bilder‹ vorgaukeln sollte. Erfolgreich waren sie mit einer Laterna-magica-Show durch Europa getingelt und hatten ihr Publikum mit scheinbar bewegten Nebelbildern, erzeugt durch geschickte Überblendungen mehrerer Projektionen, verblüfft. 1892 drehte der Tüftler Max Skladanowsky den ersten deutschen Film mit einer umgebauten Kodak-Kamera auf Celluloidin-Papier. Die Aufnahmen zeigen eine Berliner Straßenansicht und den Bruder Emil bei einer Turnübung auf dem Dach des elterlichen Hauses. In Ermangelung eines Projektors fand die Wiedergabe dieser Filme zunächst im Daumenkino statt, den beliebten kleinen Abblätterbüchern. Zwischen den Varieté-Auftritten arbeitete Max jedoch fieberhaft an einem intermittierenden Mechanismus für sein Projektionsgerät.

Nur eine Eintagsfliege: Das Bioskop

Im Mai 1895 war der »Bioskop« getaufte Doppelprojektor endlich fertig. Die Direktoren der wichtigsten Berliner Adresse für Unterhaltung, dem berühmten Varieté

Zu den mit Begeisterung aufgenommenen Angeboten der Massenunterhaltung in den Großstädten, den Vorläufern der Kinos, zählten die Panoramen. In eigens errichteten Rundgebäuden wurden 360°-Gemälde ausgestellt, die eine Landschaft oder Szenen so darstellen, als ob sich der Betrachter mitten darin befindet.

Auch das Theater bemühte sich um die Jahrhundertwende mit der Veranstaltung von Großspektakeln und der Gründung der Volksbühnenbewegung um das entstehende Massenpublikum.

Das Bioskop ist ein Doppelprojektor, der zwei Filmstreifen in schnellem Wechsel projiziert, sich also an das Überblendungsverfahren der Nebelbildprojektionen anlehnt. Das abwechselnde Öffnen der zwei Linsen sorgt für den stroboskopischen Effekt und damit für die Bewegungsillusion. Für dieses Projektionsverfahren mußten die Filme zuvor in Einzelbildchen zerschnitten und abwechselnd auf die zwei Filmstreifen aufgeklebt werden. Da die zusammengeschnittenen Filmrollen erst nachträglich perforiert werden konnten, verursachte der zwangsläufig ungleichmäßige Bildstand ein starkes Flimmern bei der Wiedergabe.

»Wintergarten«, bemühten sich persönlich in die Werkstatt der Schausteller, um die Sensation zu begutachten. Am 1. November 1895 durften die kurzen, stark flimmernden Filme bereits den Höhepunkt und Abschluß des Programms bilden. Das Publikum staunte, und schon bald flatterte den Stars des Abends eine Einladung des weltberühmten Pariser Varietés »Follies Bergères« ins Haus.

Den Skladanowskys gebührt der Ruhm, Filme erstmals öffentlich vorgeführt zu haben. Doch die Technik des Bioskops war zu umständlich, um sich durchsetzen zu können. Als die Skladanowkys am 29. Dezember in Paris eintrafen, sprach die ganze Stadt bereits vom Cinématographen der Gebrüder Lumière, die ihre ›lebenden Bilder‹ tags zuvor öffentlich vorgestellt hatten. Die »Follies Bergères« sagten die damit bereits überholten Bioskop-Vorführungen kurzerhand ab. Ebenso enttäuscht wie neugierig, besuchten die Skladanowskys gleich die nächste Vorstellung der Konkurrenten und erkannten die technische Überlegenheit der Pariser Erfindung.

Das Bioskop der Sklada-

Die ersten Filmaufnahmen der Brüder Skladanowsky zeigten kurze Varieté-Nummern: einen Serpentinen-Tanz, eine komische Recknummer und ein boxendes Känguruh.

nowskys ist nur eines von vielen Projektionsgeräten, die um 1895 in Frankreich, England, Deutschland, den USA und Italien patentiert wurden. Nachweislich gibt es auch in allen diesen Ländern zur gleichen Zeit erste öffentliche Filmvorführungen. Durchsetzen konnten sich jedoch nur die Geräte, deren Erfinder über die notwendigen finanziellen Mittel verfügten, um sie technisch weiterzuentwickeln und erfolgreich zu vermarkten.

Geschäftsleute machen das Rennen

In der Geburtstunde der Kinematographie reichten sich Forscherdrang und Unternehmergeist die Hand. Die Brüder Auguste und Louis Lumière waren ebenso leidenschaftliche Erfinder wie geschäftstüchtige Fotofabrikanten. Als 1894 der Betreiber eines Pariser Kinetoscope-Ladens mit der Bitte an sie herantrat, ein Filmaufnahmesystem zu entwickeln, mit dem die ›lebenden Bilder‹ billiger produziert und gewinnbringender vermarktet werden konnten als die teuren Edison-Importe, machten sie sich sofort an die Arbeit.

Auguste und Louis Lumière

Angeblich in einer einzigen produktiven Nacht erfand Louis Lumière – nach einem halben Jahr an Vorarbeiten – den Cinématographen, einen handlichen Apparat, der als Aufnahme-, Kopier- wie auch Abspielgerät diente. Von Edison übernahm er das Filmformat und die Perforation, die revolutionäre Neuerung seines Geräts war die Installation eines Greifers im Inneren der Kamera, der den Film ruckartig transportierte: Für den Bruchteil einer Sekunde bleibt der Film im Cinématographen vor der Linse stehen, ein einzelnes Bild wird belichtet, die Blende schließt sich, und der Greifer transportiert das Filmband weiter. Auf diese Weise nimmt der Cinématograph 16 Bilder pro Sekunde auf. Der intermittierende Transportmechanismus und das schnelle Öffnen und Schließen der Blende erzeugen den notwendigen stroboskopischen Effekt bei der Wiedergabe der Aufnahmen durch den Cinématographen; als Lichtquelle nutzten die Lumières eine Laterna magica, die den Film von hinten, durch den aufgeklappten Cinématographen, auf die Leinwand projizierte. Für die

Vergessene Pioniere

Mit dem handlichen Cinématographen der Brüder Lumière kann man aufnehmen, Positivkopien herstellen und mit einem zusätzlichen Lampenhaus auch projizieren.

Herstellung eines Filmpositivs wurde das Negativ zuvor im Cinématographen genau über einen unbelichteten Filmstreifen gelegt und durch eine weitere Belichtung kopiert.

Ein Malteserkreuz gegen das Flimmern

Aus heutiger Sicht lieferten die frühen Vorführgeräte sowohl der Lumières als auch anderer Filmpioniere nur

Vergessene Pioniere

Louis Aimé Augustin Le Prince (1842–1890) konstruierte bereits 1888 einen einlinsigen Kamera–Projektor, der mit einem Malteserkreuzgetriebe ausgestattet war, das perforierten Zelluloidfilm transportierte. 1890 bestieg er nach einer Probevorführung einen Zug und verschwand spurlos, noch bevor er Patente auf seine Erfindung anmelden konnte. Ein Opfer des unerbittlichen Konkurrenzkampfes der Filmpioniere?

Der englische Fotograf **William Friese-Greene** (1855–1921) meldete mit seinem Mitarbeiter Mortimer Evans 1889 eine Kamera zum Patent an und gehörte zu den ersten, die Zelluloidfilm verwendeten. Ein weiteres Patent von 1894 enthält auch die Beschreibung eines Projektionsapparats.

Der Fotograf **Birt Acres** (1854–1918) erhielt im Mai 1895 ein Patent auf eine Kamera und entwickelte einen Projektor, mit dem er im Januar 1896 seine erste öffentliche Vorführung gab, bemühte sich jedoch nicht um eine kommerzielle Auswertung seiner Erfindung. Seine ersten Filme, u. a. den berühmt gewordenen Streifen »Rough Sea at Dover« drehte er für den Instrumentenmacher **Robert William Paul** (1869–1943), der an der Entwicklung der Kamera wesentlichen Anteil hatte. Nach der Trennung von Acres verbesserte Paul die Kamera und stellte im Februar 1896 auch einen eigenen Projektor vor, den Theatrograph. Im Gegensatz zu anderen Pionieren verkaufte Paul seine Geräte und kurbelte damit die Entwicklung der Filmindustrie in England, aber auch im Ausland entscheidend an.

Georges Demeny (1850–1917) entwickelte zwischen 1892 und 1894 in mehreren Anläufen einen Aufnahme- und Projektionsapparat, der bei rechtzeitiger wirtschaftlicher Auswertung den Erfolg des ähnlich konstruierten Cinématographen vorweggenommen hätte. Erst 1896 bringt der Pariser Fabrikant **Léon Gaumont** sie unter dem Namen Chronotograph in den Handel.

1894 patentierte der US-Amerikaner **C. Francis Jenkins** eine Kamera unter dem Namen Phantascope. Im Oktober 1895 präsentierte er zusammen mit seinem Landsmann **Thomas Armat** einen Projektor, den dieser nach einigen Verbesserungen Edison zur Vermarktung unter dem Namen »Edison's Vitascope« überließ. Mit dem Vitascope verbreitete sich der Film in den ganzen USA, und Edison setzte sich endgültig als Erfinder der ›lebenden Bilder‹ durch.

sehr unbefriedigende Bilder. Die Filmstreifen, die aus den Projektoren einfach auf den Fußboden liefen, litten unter jeder Vorführung und rissen häufig. Die Bilder flimmerten stark, und die Bewegungsabläufe wirkten unnatürlich, weil die Kurbelgeschwindigkeit des Kameramannes sich von der des Vorführers unterschied.

Eine der wichtigsten Pionierleistungen der frühen Jahre war daher die Einsetzung eines Malteserkreuzes in den Transportmechanismus fast aller kommerziellen Projektoren seit 1896. Erst das Malteserkreuzgetriebe ermöglichte einen gleichmäßigen Filmtransport in regelmäßigen Sprüngen und schuf so die Voraussetzung für eine flimmerfreie Projektion.

1897 ist die Erfindung der Kinematographie weitestgehend abgeschlossen. Die Filmtechnik hat sich jedoch stetig weiterentwickelt und in 100 Jahren nahezu perfektioniert. Heute werden 24 statt 16 bis 20 Bilder pro Sekunde aufgenommen. Erst genau diese Aufnahmegeschwindigkeit, fand man heraus, erzeugt eine vollkommene Bewegungsillusion. Auch durch die Verstärkung des stroboskopischen Effekts wurde die Projektion verbessert: Jedes einzelne Bild wird zusätzlich ein- bis zweimal von der Blende unterbrochen, der Zuschauer erhält also nicht nur 24, sondern 48 oder 72 Bildeindrücke pro Sekunde. Über die Erfindung des Tonfilms (1927), die Verbreitung des Farbfilms (seit 1936), über Experimente mit Breitwand- und dreidimensionalem Kino, über die Entwicklung der Special Effects und nicht zuletzt den Einsatz der Computeranimation anstelle von Realaufnahmen wird an gegebener Stelle noch die Rede sein.

Die Einführung des Malteserkreuzes wird Oskar Messter (1866–1943) zugeschrieben, tatsächlich experimentierten vor ihm bereits die Skladanowskys, Le Prince, R. W. Paul und andere mit diesem Transportmechanismus. Der Berliner Erfinder, Regisseur und Begründer der deutschen Filmindustrie verhalf dem Malteserkreuz jedoch zum Durchbruch.

Das Malteserkreuzgetriebe bewegt und stoppt den Film in einem optimalen Zeitverhältnis. Zu Beginn einer Umdrehung greift der Stift in den Schlitz des Kreuzes, das mit der Transportwalze verbunden ist. Wenn der Stift wieder aus dem Schlitz herausspringt, hält die Sperrscheibe das Kreuz und damit den Film fest.

Die ersten Kinofilme: Dokumente des Alltags

Zurück zu den Anfängen: Bereits im März 1895 präsentierten die Lumières ihre Erfindung einem Fachpublikum, am 28. Dezember fand endlich die erste öffentliche Vorführung in einem Kellerraum des Grand Café am Boulevard des Capucines 14 in Paris statt. Das 25minütige Programm bestand aus zehn dokumentarischen Kurzfilmen.

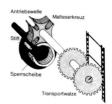

Die ersten Filme, die öffentlich vorgeführt wurden, sind aus einer Einstellung mit starrer Kamera gefilmt: »Das Frühstück des Babys« der Gebrüder Lumière.

Die Lumières begannen ihre Filmproduktion wie typische Hobbyfilmer von heute und hielten zunächst ganz alltägliche Szenen aus dem Alltag ihrer nächsten Umgebung auf Zelluloid fest: Arbeiter verlassen die Fabrik Lumière, Mme. und M. Lumière füttern ihr Baby, Männer trinken Bier und spielen Karten. Das Publikum war überrascht, wie sehr die bewegten Bilder der Wirklichkeit glichen. Daß man sogar das Schäumen im Bierglas und die luftige Bewegung des Zigarrenrauchs erkennen konnte, galt als Sensation. »Die Ankunft eines Zuges auf dem Bahnhof in La Ciotat«, so kolportiert die Filmgeschichtsschreibung gern, löste sogar Entsetzen aus, weil der Zug direkt auf die Zuschauer zuzufahren scheint. Man kann jedoch davon ausgehen, daß die Anekdote im Rahmen der ersten Werbekampagne für das Kino erfunden wurde, um die Realitätsillusion des neuen Mediums herauszustellen.

Unter den allerersten Filmstreifen der Lumières findet sich übrigens auch eine kleine dramatische Handlung. »Der begossene Begießer« erzählt die Geschichte eines Gärtners, der sich wundert, warum aus seinem Gartenschlauch kein Wasser mehr kommt. Er schaut hinein, und prompt spritzt ihm der Strahl ins Gesicht. Das Publikum lachte zusammen mit dem kleinen Jungen, der auf dem Schlauch gestanden hatte und nun vor dem erbosten Gärtner davonlaufen mußte.

Instinktiv hatten die Lumières erfaßt, was ihr Publikum am meisten faszinierte: sich selbst und die Zeitgenossen in realer Bewegung auf einer Leinwand wiederzuentdecken: »Arbeiter verlassen die Fabrik Lumière«.

Der Cinématograph erobert die Welt

Von den 100 Plätzen im Keller des Grand Café, die zum Eintritt von einem Franc angeboten wurden, waren am ersten Abend nur 35 besetzt, vermutlich vor allem mit Freunden und Mitarbeitern der Fabrikanten. En-

thusiastische Zeitungskritiken kurbelten den Kartenverkauf an, und bald standen die Menschen Schlange vor den überall aus dem Boden schießenden Cinématograph-Theatern. Ein glänzendes Geschäft zeichnete sich ab.

Das erste Kinoplakat zeigt das Kino Lumière als eine Attraktion für die ganze Familie.

Die Lumières verkauften ihre Geräte, deren Geheimnis sie streng hüteten, zunächst nicht, sondern verpachteten sie an ausgewählte Lizenznehmer. Sie bildeten professionelle Kameraleute, sogenannte Operateure, am Cinématographen aus und schickten sie auf strapaziöse Reisen in die ganze Welt. Sie sollten die technische Neuheit überall bekanntmachen, potentielle Abnehmer anwerben und zugleich Bilder anderer Länder, Leute und Sitten einfangen, denn die Nachfrage nach neuen Streifen wuchs unaufhaltsam.

So beginnt die Geschichte des Films an vielen Orten der Welt mit der Ankunft des Cinématographen der Lumières, der allen anderen Geräten technisch überlegen war und darüber hinaus am schnellsten und professionellsten vermarktet wurde. 1896 gab es Aufführungen in Brüssel, Madrid, St. Petersburg, Köln, Bombay, Sidney, Shanghai, Mexiko City und Alexandria. 1897 war die Nachfrage nach Kameras und Projektoren in der ganzen Welt so groß, daß die Lumières mit ihrer kleinen Firma den Bedarf nicht mehr decken konnten und ihr Patent zur Geräteherstellung an den Unternehmer Charles Pathé verkauften. Die Pariser Fotofabrikanten hielten den Erfolg des Kinos für eine vorübergehende Modeerscheinung. Die neue Technik, so glaubten sie, würde bestenfalls in der Forschung sinnvolle Anwendung finden. Pathé hingegen erkannte die Zeichen der Zeit und baute als Produzent von Kame-

Ging es zunächst darum, Bewegung festzuhalten, so setzten sich schon bald die Kameramänner selbst in Bewegung. Sie filmten aus fahrenden Booten und Zügen – die Kamerafahrt war erfunden.

Der Reiz des bewegten Abbilds des Alltäglichen hatte sich schon bald verloren. Nun wollten Menschen, die ihre Heimat nie verlassen hatten, sehen, wie die Welt tausende Kilometer entfernt von ihnen ausschaut: »Kulis in den Straßen Saigons«.

Georges Méliès (1861–1938) war Produzent, Kameramann, Autor und Regisseur seiner Filme und trat meistens auch noch als Hauptdarsteller in Aktion wie in »Der Mann mit dem Gummikopf« von 1902. Über die von ihm entdeckten filmischen Tricks und die Zukunft des neuen Mediums schrieb er 1907: »Da ich alle Arten verwendet habe …, habe ich keinerlei Bedenken zu erklären, daß heute im Film die Verwirklichung unmöglichster und unwahrscheinlichster Dinge möglich ist.«

ras, Projektoren und Filmen binnen weniger Jahre das erste Filmimperium der Welt auf. Die Erfindung des Films begründete einen der umsatzstärksten Wirtschaftzweige des vor der Tür stehenden 20. Jahrhunderts.

Ein Zauberer der Leinwand

Zu den ersten Besuchern der Vorstellungen im Grand Café gehörte der Schausteller Georges Méliès. Fasziniert von den Möglichkeiten des technischen Wunderwerks, bot er den Lumières spontan 10 000 Francs für ihre Erfindung, denn die Vorführung von Filmen sollte fortan die Hauptattraktion seines Varieté-Programms bilden. Als die Fotofabrikanten ablehnten, weil sie zunächst nur an eine eigene kommerzielle Auswertung des Cinématographen dachten, gab der geschäftüchtige Theaterleiter und phantasiebegabte Erfinder seiner eigenen Zaubertricks freilich nicht auf. Bereits 1896 gelang es ihm, eine eigene Kamera zu bauen, nachdem er einen Projektor des Engländers R. W. Paul erworben und genau studiert hatte.

Waren die Lumières ausschließlich an der Abbildung von Bewegung, der Wiedergabe der Wirklichkeit interessiert, so nutzte der Illusionist Méliès die neue Technik, um die dargestellte Realität zu verfremden und zu manipulieren. Er inszenierte Märchen, Feerien, Komödien und immer wieder Zaubertricks für die Kinovorführungen auf seiner Varieté-Bühne, die er schon bald in ein reines Filmtheater umwandelte.

Als einmal der Verschluß seiner Kamera blockierte, entdeckte er die Möglichkeiten der Trickaufnahme. Bei der Verfilmung des Märchens »Aschenputtel« (»Cendrillon«, 1899) hielt er z. B. die Kamera an, ersetzte im Bühnenbild einen Kürbis durch eine Kutsche, und der Zauber im fertigen Bild war perfekt. Über magische Effekte wie diesen Stopptrick und die Doppelbelichtung hinaus entwickelte Méliès jedoch keine weiteren spezifisch filmsprachlichen Mittel. Er blieb eher einer konventionellen Theaterästhetik verbunden und filmte seine mit Pappkulissen flächig dekorierte Guckkastenbühne aus einer statischen Position ab.

Im Jahr 1896 richtete Méliès das erste europäische Filmstudio ein, ein 17 m langes Glasatelier. Von seinen insgesamt 500 Filmen, die er hier herstellte, sind nur etwa 100 erhalten.

Méliès inszenierte als erster Filmregisseur bis zu 16 Minuten lange, aus vielen verschiedenen Einstellungen bestehende Filmhandlungen und ließ diese handkolorieren. »Paris – Monte Carlo in zwei Stunden« (1905).

Méliès' Filme erfreuten sich außerordentlicher Popularität und wurden in der ganzen Welt nachgeahmt. Berühmtheit erlangten seine Filmadaption von Jules Vernes »Reise zum Mond« und die ›rekonstruierte Aktualität‹ »Der Prozeß Dreyfus«, ein immerhin bereits halbstündiges Dokumentarspiel.

Doch der Handwerker Méliès wurde von der sich schnell entwickelnden, inzwischen industriell produzierenden Konkurrenz überrollt. Durch Fehlspekulationen verlor er sein gesamtes Vermögen und überließ 1913, wie bereits die Brüder Lumière vor ihm, das Feld der Filmherstellung dem marktbeherrschenden Pathé. 1938 starb der Pionier des filmischen Entertainments, nachdem er sich jahrelang als Spielzeughändler durchgeschlagen hatte, in einem Altersheim für *cinématographistes*.

Frühe Filmtechnik

Bioskop: Projektionsapparat der Brüder Skladanowsky, ein Doppelprojektor mit zwei Projektionslinsen

Black Maria: Name des ersten, von Edison gebauten Filmstudios

Cinématograph: Kombiniertes Aufnahme-, Kopier- und Vorführgerät der Brüder Lumière

Kinetograph: Edisons erste Filmkamera

Kinetoscope: Betrachtungsgerät für Edisons erste Filme

Malteserkreuzgetriebe: Intermittierender Transportmechanismus, der so gleichmäßig funktioniert, daß ein flimmerfreies Bild projiziert werden kann.

Schnellseher: Betrachtungsgerät von Anschütz zur Vorführung von »lebenden Photographien«

»Théâtre Optique«: Reynauds Projektionsgerät zur Vorführung von Zeichentrickfilmen nach dem Prinzip des Praxinoskops

Vitascope: Von Thomas Armat entwickeltes, von Edison vertriebenes Projektionsgerät

Zelluloid: Ältester thermoplastischer Kunststoff aus Zellulose, aus dem die Firma Eastman-Kodak seit 1887 flexible Filmaufnahmebänder (Rollfilme) herstellt

Ein explosiver Start

Keine Ära der Film- und Kinogeschichte war solchen Wandlungen unterworfen wie die oft als »Kinderjahre« bezeichnete Wachstumsphase, die bis zum Ausbruch des Ersten Weltkriegs währte. Die Entwicklungen überschlugen sich geradezu: Nur 15 Jahre vergingen zwischen den ersten flimmernden Projektionen ein- bis zweiminütiger ›lebender Bilder‹ bis zur Vorführung abendfüllender Spielfilme im Stil des klassischen Hollywood-Kinos. Die technische Sensation der Varietés und Jahrmärkte avancierte zur eigenständigen Kunstgattung. 1908 war der Film in Europa und Amerika bereits ein Massenmedium und zog als Hauptfreizeitvergnügen eines Millionenpublikums in repräsentative Kinopaläste ein. Ein neuer Wirtschaftszweig, der enorme Gewinne einfuhr, war geboren. Die Kinematographie, die einst nur Bewegung dokumentieren sollte, entdeckte mit der Verfolgungsjagd Bewegung und Dynamik als ihr ureigenes Gestaltungsprinzip. Sie emanzipierte sich vom reinen Abfilmen des Alltags ebenso wie von der Ästhetik des Theaters und begann die spezifische visuelle Formensprache der Filmkunst zu entwickeln.

Vom Wanderkino zum Filmtheater

Die ersten Vorführungen der Cinématographen, Theatrographen, Bioskope und Vitascopes fanden in Hinterzimmern von Cafés und Wirtshäusern oder als ein Programmpunkt unter vielen in Varietés, Vaudeville-Theatern und Music Halls statt. Doch der Reiz der spektakulären technischen Neuheit verbrauchte sich rasch, und das Kino fand, nachdem die Bildungsbürger das Interesse verloren

Der Stummfilm war nie stumm. Immer wieder gab es Versuche, die Vorführung ›lebender Bilder‹ mit einem mechanischen Tonträger zu koppeln. Beliebter war die musikalische Untermalung durch das Klavier, Harmonium oder, in besseren Etablissements, sogar durch ganze Orchester.

CHRONOMÉGAPHONE. I. GA

hatten, ein neues begeistertes Publikum auf den Jahrmärkten Europas und Amerikas. Fahrende Schausteller zogen mit einem Projektor und einer Anzahl gekaufter Kurzfilme übers Land. Die frühen Programme boten eine bunte Mischung ›lebender Bilder‹ aus aller Welt, tatsächliche oder nachgestellte Aufnahmen von Kriegsschauplätzen und Staatsbesuchen, kurze Sketche und abgefilmte Akrobatiknummern und Zauberkunststücke. Kleine Angestellte und Arbeiter bildeten das Publikum dieses anspruchslosen und preiswerten Vergnügens, das oft nur auf einer improvisierten Leinwand aus Bettlaken und in einem mit Klappstühlen ausgestatteten Zelt präsentiert wurde. Vor allem die Einwanderer in New York liebten das Kino, wo sie sich, ohne die fremde Sprache beherrschen zu müssen, von der Fülle der Bilder bezaubern lassen konnten und zugleich wichtige Informationen über Sitten und Gebräuche der neuen Welt erhielten.

Die ersten Langfilme wurden während der Vorführung von sogenannten Filmrezitatoren erläutert. Ab 1905 kopierte man vereinzelt auch Zwischentitel in den Filmstreifen ein. Sie wurden jedoch erst Jahre später üblich, da sich das leseunkundige plebejische Publikum der frühen Jahre durch die Filmunterbrechung gestört fühlte.

Angesichts der ständig steigenden Nachfrage nach unterhaltsamen Filmen erwies sich die Einrichtung ortsfester Kinos als geniale Marktidee. In den USA boten Kinounternehmer in sogenannten Nickelodeons zum Preis von nur 5 Cents, also zu einem Nickel, eine Zusammenstellung von *one reelers*, einaktiger Kurzfilme von 10 bis 15 Minuten Dauer, die mit 200–300 m Länge gerade noch auf eine Filmspule paßten. Das ein- bis zweistündige Nummernprogramm der Nickelodeons bot in der Regel ein buntes Potpourrie aus unterschiedlichsten Genres. Besonders populär war der sogenannte *chase film*, in dem eine jeweils unterschiedliche Verfolgungsjagd die Kernhandlung bildete. Die Menschen konnten sich nicht satt sehen an diesem wilden Spektakel, das mal einen Polizisten auf Verbrecherjagd, eine Frau auf den Fersen ihres Mannes oder eine erboste Menge hinter einem Herrn ohne Hosen zeigt. Im *chase film* erkundeten die Filmemacher den

Den Prototypen des Nickelodeons schufen die Brüder Harris in Pittsburgh. Das neue Kino war an sechs Tagen pro Woche von morgens acht bis Mitternacht geöffnet und wechselte alle 15 Minuten Programm und Publikum, so daß 7000– 8000 Menschen täglich die Vorstellungen besuchen konnten.

Als um 1910 die ersten abendfüllenden Langfilme auf den Markt kamen, wurden die schlichten Nickelodeons nach und nach durch repräsentative Kinopaläste mit über 1000 Plätzen ersetzt. Dem expandierenden Gewerbe war es gelungen, sich weitere zahlungskräftige Publikumskreise zu erschließen. Kinopalast in Seattle 1926.

Übergang zwischen zwei räumlich getrennten Schauplätzen und befreiten die Kamera aus der starren Position des Theaterzuschauers. Sie entdeckten die Verfolgungsjagd als ureigenstes Mittel filmischer Spannungserzeugung, die bald nicht nur zu Fuß, sondern im Streben nach ständiger Temposteigerung auch zu Pferde, mit dem Zug und dem Automobil in Szene gesetzt wurde. Bis heute gehört sie zum Standardrepertoire des Krimis, des Westerns, Thrillers und Actionfilms.

Vom Filmhandwerk zur Filmindustrie

Überall im Land schossen nun die Nickelodeons wie Pilze aus dem Boden. Nach fünf Jahren gab es in den USA bereits 10 000 feste Filmtheater, beträchtlich mehr als in allen europäischen Ländern zusammen. Amerika stellte den größten Absatzmarkt für das neue Volksvergnügen dar und bescherte nicht nur der heimischen, sondern auch der internationalen Filmproduktion beachtliche Profite. Bei niedrigen Produktionskosten waren die Exportmöglichkeiten für die Filmhersteller der frühen Jahre so gut, daß auch innovationsfreudige Produzenten in kleinen Ländern, z. B. die dänische Firma Nordisk oder die italienische Cines auf dem internationalen Markt konkurrieren konnten.

Die Organisation der Filmherstellung mußte zwischen 1905 und 1910 freilich völlig umgestellt werden. Die Pioniere der Kinematographie – Lumière, Méliès und Paul – produzierten noch im handwerklichen Verfahren. Sie bauten ihre Apparate in der eigenen Werkstatt, waren Schauspieler, Regisseure und Kameraleute, vertrieben ihre Kopien selbst und standen schließlich als Filmvorführer in eigenen Theatern hinter dem Projektor. Mit diesem unökonomischen Herstellungs- und Ver-

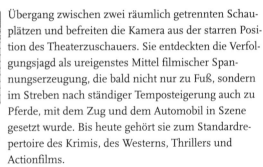

triebssystem konnten sie den wachsenden Bedarf an Geräten und neuen, komplexeren Filmerzählungen auf Dauer nicht decken. Risikofreudige Unternehmer sprangen in die Bresche und bauten mit Hilfe von potenten Geldgebern eine zunehmend arbeitsteilige, kapitalisierte Filmindustrie

A LA CONQUÊTE DU MONDE
scène vécue
PATHÉ FRÈRES 1896-19...

auf. Vor allem der Verkauf der Kopien erschien nicht länger sinnvoll. Die weltweite Einführung des profitableren Verleihwesens versetzte dem Wanderkinematographen ab 1907 den Todesstoß.

Der französische Konzern Pathé Frères dominierte den Weltmarkt, bis der Ausbruch des Ersten Weltkriegs die europäische Filmwirtschaft empfindlich schädigte und gegenüber der expandierenden amerikanischen Konkurrenz für immer ins Hintertreffen brachte. Vor 1914 vertrieb Pathé allein in den USA doppelt so viele Filme wie alle amerikanischen Anbieter zusammen, bis 1913 erwirtschaftete der Konzern, der 1896 mit einem Einlagekapital von 24 000 Francs die Produktion aufgenommen hatte, 30 Millionen Francs. Karikaturistisches Plakat aus dem Jahr 1908.

Der Ruf nach Filmkunst

Um 1907 geriet die internationale Filmproduktion in ihre erste Krise. Die Eintönigkeit des Filmangebots begann das Publikum zu langweilen, der Zuschauerzustrom stagnierte. Das gebildete Bürgertum stand den überwiegend schlichten, possenhaften oder frivolen Filmchen der frühen Jahre ohnehin ablehnend gegenüber. In Deutschland, der Hochburg der Theaterkultur, entbrannte eine erhitzte Debatte über Wert und Unwert des neuen Massenvergnügens, und eine Kinoreformbewegung rief zum »volkspädagogischen Kampf gegen Schmutz und Schund« auf. Film galt konservativen Vertretern der bürgerlichen Intelligenz als »seelenlose, phantasieabtötende Kost«, die »der Trivialität Siege feiern hilft und den Geschmack des Volkes verwüstet«.

Die Filmproduzenten, die ihrer Ware einen neuen bürgerlichen Kun-

Le Film d'Art
L'ASSASSINAT DU DUC DE GUISE
Pièce Cinématographique

Interprétées
M.me Le Bargy de la Comédie Française
Albert Lambert de la Comédie Française
M.me Robinne de la Comédie Française
Berthe Bovy de la Comédie Française

Der Erfolg des berühmtesten Film d'art, »Die Ermordung des Herzogs von Guise« von 1908, schien wohlkalkuliert und unvermeidlich. Die Hauptrollen waren mit bekannten Schauspielern der Comédie Française besetzt, und die auf eine Grammophonplatte aufgenommene symphonische Begleitmusik stammte aus der Feder keines Geringeren als Camille Saint-Saëns.

FANTÔMAS
LE MORT QUI TUE

Wesentlich erfolgreicher als der Film d'art war das ebenfalls in Frankreich entwickelte Konzept des Serien-Films. In einer Serie wie z. B. Louis Feuillades Fünfteiler um den geheimnisvollen Verbrecher Fantômas zog sich eine Handlungslinie durch alle kurzen Folgen, die jeweils an einem Spannungshöhepunkt, dem sogenannten *cliff hanger* aufhörten, um den Zuschauer in die nächste Fortsetzung zu locken. So schuf der Serien-Film in den 1910er Jahren eine Art Übergang vom *one reeler* zum Featurefilm.

denkreis erschließen wollte, bemühten sich also um Niveausteigerung, engagierten namhafte Autoren und Theaterschauspieler und bauten repräsentative Erstaufführungskinos nach dem Vorbild prunkvoller Theatertempel. In Frankreich gründeten die Brüder Lafitte 1907 eine Gesellschaft zur Produktion sogenannter Kunstfilme, die »Compagnie des Films d'art«. Ihr Programm aus ambitionierten Literaturverfilmungen wurde von Kritik und bürgerlichem Publikum spontan als Veredelung der verrufenen Volksbelustigung begrüßt.

Doch der Film d'art ahmte nur das Theater nach. Die Darsteller agierten mit einer auf der Leinwand lächerlich wirkenden Gestik und Mimik. Die unbewegliche Kamera fing steife Bilder einer von theatralen Konventionen beherrschten Regie, Spannungsdramaturgie und Dekoration ein. Solch schlechte Kopie weckte bestenfalls, wie ein skeptischer Rezensent schrieb, die Sehnsucht nach dem echten Theater. Die Orientierung am Schauspiel führte künstlerisch in eine Sackgasse und bescherte den Produzenten auch nicht den erhofften wirtschaftlichen Erfolg.

Die Schule von Brighton

Bereits um die Jahrhundertwende hatten sich indessen eine Gruppe von Filmemachern aus Brighton aufgemacht, die spezifischen Komponenten filmischer Sprache zu erforschen, um ihre kleinen Filmhandlungen verständlicher, spannender und unterhaltsamer zu gestalten. Der Portraitfotograf George Albert Smith (1864–1959) experimentierte als erster mit den erzähltechnischen Möglichkeiten, die sich ergeben, wenn man eine Szene aus den Zusammenschnitten verschiedener Bildeinstellungen und Kameraperspektiven komponiert. In seinem Film »Die Maus in der Kunstschule« sehen wir zum Beispiel zeichnende Kunststudentinnen, die plötzlich schreiend auf Tische und Stühle springen. Die Ursache für die Aufregung zeigt Smith in einer zwischen die beiden Totalen der Mädchen geschnittenen Großaufnahme einer Maus, die aus ihrem Loch herausschaut. Smith hatte einen Weg gefunden, einen Vorgang, der auf der Theaterbühne nur durch die Verwendung von Sprache verständlich geworden wäre, filmisch zu erklären. Film, so hatte er erkannt, kann Bedeutung über die Beziehung der Bilder zueinander herstellen.

Der ehemalige Apotheker James Williamson (1855–1933) hatte bereits 1899 bei einem Aktualitätenfilm über eine Ruderregatta entdeckt, daß eine filmische Erzählung nicht unbedingt den ganzen Verlauf einer Handlung zeigen muß, um verstanden zu werden. Williamson montierte zwischen Start und Zieleinlauf lediglich eine Einstellung aus dem Verlauf des Rennens und benutzte als erster die Grundform der elliptischen, d. h. weglassenden Montage. In »Angriff auf eine China-Mission« ging er noch einen Schritt weiter und konfrontierte alternierend Bilder einer um Hilfe rufenden Missionarsfrau, die sich vor Angreifern auf einen Balkon geflüchtet hat, und ihrer herbeieilenden Retter. Bis heute bildet dieses auch »Last Minute Rescue« genannte Schnittverfahren den unfehlbaren dramaturgischen Höhepunkt vieler Western, Thriller und Actionfilme.

Die englischen Filmemacher aus Brighton, die erstmals spezifisch filmische Ausdrucksmittel benutzen, erhielten keine Gelegenheit ihre Innovationen weiterzuentwickeln. Dem wachsenden Konkurrenzdruck der internationalen Filmindustrie konnten die vergleichsweise mittellosen Brightoner ›Handwerker‹ nicht standhalten.

›Handwerkliche‹ Filmproduktion in Brighton: Entwicklung, Herstellung von Kopien, Prüfung der Filme auf dem Umrolltisch

G. A. Smith' »Großmutters Leselupe« zeigt den frühen Gebrauch des Insert-Schnitts, die Abwechslung extrem verschiedener Einstellungsgrößen und des Point-of-View-Shots, der die subjektive Perspektive einer Figur wiedergibt. Smith schneidet wiederholt das Bild des durch die Lupe sehenden Kindes gegen Großaufnahmen der Objekte – das Auge der Großmutter (runder Ausschnitt vor schwarzem Hintergrund).

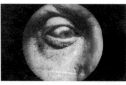

Den Effekt der Nahaufnahme wußte auch J. Williamson zu nutzen. In »Der große Schluck« bewegt sich ein Mann, der nicht fotografiert werden möchte, ärgerlich auf eine feststehende Kamera zu, bis nur noch sein weit geöffneter Mund auf der Leinwand zu sehen ist. Nach einem Schnitt ist das Mundinnere durch einen schwarzen Hintergrund ersetzt, und der Betrachter erlebt mit, wie der Filmer mitsamt Kamera darin verschwindet. Ein weiterer Schnitt kehrt zum geöffneten Mund zurück, der Mann lacht und kaut triumphierend.

Enrico Guazzonis »Quo vadis?« wurde 1913 zum Kassenerfolg in Berlin, Paris und New York. Das Publikum bewunderte die kühnen Einstellungswechsel und die mit echten Löwen und 5000 Statisten in Szene gesetzte blutige Christenverfolgung.

Der italienische Monumentalfilm

In Italien begann eine eigenständige Filmproduktion erst um 1905. Das Kino mußte jedoch nicht als billige Jahrmarktsattraktion über die Dörfer wandern, sondern zog schon früh ein Publikum aus allen Bevölkerungsschichten in feste Filmtheater. Kein Wunder also, daß die Italiener eher bereit waren, den Film als künstlerisches Medium zu akzeptieren und zu nutzen. Ihr Rezept zur Entwicklung der Filmkunst orientierte sich jedoch nicht am Theater. Statt dessen förderten sie die narrativen und visuellen Potentiale des Films zutage. Sie demonstrierten, daß Film Zeit und Raum überwinden und große Zusammenhänge herstellen kann, mithin eher ein episches als ein dramatisches Medium ist.

Die neu gegründeten Filmkonzerne Cines, Itala und Ambrosio spezialisierten sich auf aufwendige Verfilmungen historischer Stoffe – meist nach populären literarischen Vorlagen. Mit hohem Kapitaleinsatz erweiterten sie den dargestellten filmischen Raum, drehten unter freiem Himmel in gigantischen, erstmals ›hart‹ gebauten Dekorationen und an Originalschauplätzen der nationalen Historie. Pompös aus-

Zu den ersten Diven des italienischen Kinos, wo der Kult um göttliche Schauspielerinnen früher begann als in den anderen Filmnationen, zählte neben Lyda Borelli (nebenstehend) auch der Theaterstar Eleonora Duse.

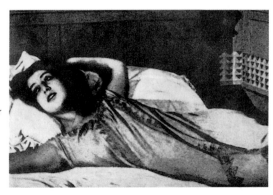

staffierte Statistenheere bevölkerten die Szenerie und beeindruckten das internationale Publikum. Nach dem Welterfolg des 20minütigen Geschichtsdramas »Die letzten Tage von Pompeji« setzten die Produzenten auf immer längere und aufwendigere Kinoepen. Filme mit Titeln wie »Der Fall Trojas« (30 Minuten, 800 Komparsen), »Agrippina« (50 Minuten, 2000 Komparsen) und »Quo Vadis?« (120 Minuten, 5000 Komparsen) waren großdimensionierte Risikoinvestitionen, die sich bald auszahlen sollten.

Für den Film »Cabiria«, das größte Projekt der internationalen Filmproduktion bis 1914, engagierte man sogar den italienischen Dichterfürsten Gabriele D'Annunzio als Autor. Dieser verfaßte jedoch lediglich einige Zwischentitel und ließ sich die Verwendung seines Namens hoch bezahlen.

Italien stieg binnen weniger Jahre zur Nation mit dem höchsten filmwirtschaftlichen Exportanteil neben Frankreich auf. 1914 produzierte die Itala mit 1 Million Gold-Lire den bis dahin teuersten und mit einer Vorführdauer von 3 1/4 Stunden zugleich auch längsten Film der frühen Jahre: »Cabiria«. Der Regisseur Giovanni Pastrone scheute keine Anstrengung, um die Fülle der historischen Handlungselemente zwischen Hochgebirgsschnee und Wüsten mit Hilfe von Menschenmassen, Elefanten, Kamelkarawanen und phantastischen Dekorationen in Szene zu setzen.

»Cabiria« ist jedoch auch ein Beispiel für den filmsprachlichen Reichtum, den der italienische Monumentalfilm auf seinem Höhepunkt erreicht hatte. Pastrone arbeitete mit unterschiedlichen Einstellungsgrößen, variierte Einstellungslängen und Schnittfolgen, experimentierte mit alternierender Montage und setzte als einer der ersten künstliches Licht zu ästhetischen Zwecken ein. Für die Außenaufnahmen konstruierte er einen Kamerawagen und erkundete die Möglichkeiten der Kamerafahrt als neues filmisches Ausdrucksmittel. Der »Carello«, den sich Pastrone nach Fertigstellung des Films sogar patentieren ließ, eröffnete der Kinematographie eine neue Dimension: die Tiefe des Raumes.

Dänemark: Filmische Schauspielkunst

In der Frühzeit des Kinos konnten sich auch Produzenten aus kleineren Ländern auf dem internationalen Markt profilieren – vorausgesetzt, sie verstanden sich aufs Geschäft und hatten eine Nase für Sensationen. Die dänische Nordisk Films Kompagni wurde 1906 von dem ehemaligen Zirkusakrobaten Ole Olsen gegründet.

Der wollüstige »dänische Kuß«, bei dem sich die Lippen lange vereinigen und die Frau ihren Kopf ekstatisch nach hinten neigt, entzückte das Publikum und machte Schule.

Im Jahr 1907 ließ er für seinen Safari-Film »Löwenjagd« zwei lebende Raubkatzen vor laufender Kamera erschießen. Die heftigen Proteste förderten den Umsatz, Olsen verkaufte weltweit 260 Kopien des Streifens. 1910 machte er international Furore mit seinem ersten Langfilm »Die weiße Sklavin«. Die Geschichte einer Europäerin, die in ein fremdländisches Bordell verschleppt wird, löste wegen ihrer »gefährlichen Sinnlichkeit« wiederum einen öffentlichen Aufschrei und den Ruf nach Filmzensur aus. Es war der erste in einer Reihe von erotischen Filmen, für die die skandinavische Produktion der Vorkriegsjahre berühmt werden sollte.

Besonders verdient machten sich die dänischen Pioniere um die Förderung filmischer Schauspielkunst. Der Theaterstar Asta Nielsen hatte erkannt, »daß die alles enthüllende Linse ... höchste Wahrhaftigkeit des Ausdrucks fordert« und das Filmschauspiel eine ganz andere Darstellungsweise als das Theater verlangt. Unter der Regie ihres Ehemanns Urban Gad zeigte Asta Nielsen bereits 1910 in ihrem ersten Film »Abgründe« der Welt, was filmische Schauspielkunst ausmacht. Mit minimalen Gesten, einem Blick, einer Bewegung des Kopfes, mit der sinnlichen Präsenz ihres ganzen Körpers konnte sie eine ganze Skala an Gefühlen darstellen. Mit Vorliebe besetzte man die »Königin des

Asta Nielsen (1881–1972) war einer der ersten großen Filmstars. Nach den internationalen Erfolgen ihrer dänischen Filme holten Berliner Produzenten sie nach Deutschland, wo sie bis zum Aufkommen des Tonfilms eine der beliebtesten Schauspielerinnen war.

Stummfilms« als tragisch Liebende oder verfolgte Unschuld, deren Schicksal unfehlbar ein trauriges Ende nahm.

Die Dänen, die die Enthüllung der Seele auf der Leinwand populär gemacht hatten, beherrschten den deutschen Filmmarkt bis zum Ende des Ersten Weltkriegs und begründeten mit ihren Melodramen die skandinavische Tradition des psychologischen Films.

Von New York nach Hollywood:
Die Amerikaner übernehmen den Weltmarkt

Die frühen Jahre der amerikanischen Filmproduktion wurden begleitet von einer Flut von Prozessen. Bis 1905 hemmte das Ringen um Patente die Entwicklung, eine zweite zehnjährige Runde juristischer Streitigkeiten wurde zwischen einem von Edison angeführten Filmkartell (MPPC) und unabhängigen Produzenten ausgetragen. Doch die Monopolisierungsversuche scheiterten. Die Unabhängigen, die fast alle aus dem Milieu der Kinobetreiber stammten, kannten den Geschmack ihres Publikums besser und vertraten mit ihrer Umstellung auf den langen Featurefilm und der Einführung des Starsystems das wirksamere Konzept. Sie produzierten mit großem Erfolg die ersten amerikanischen Slapstick-Komödien und Film-Epen, während das Kartell die Erfindung des Western für sich verbuchen kann.

Hollywood, wohin die Unabhängigen ihre Produktion zunächst verlegt hatten, um sich der Kontrolle der MPPC zu entziehen, etablierte sich als neues Produktionszentrum. Das gute Wetter und die vielen verschiedenartigen Landschaften Kaliforniens boten optimale Drehbedingungen. 1914 wurden in Hollywood bereits 50 % aller weltweit vertriebenen Filme hergestellt.

Der erste Showdown

Edwin S. Porter hat den Western zwar nicht erfunden, ihm mit »Der große Eisenbahnraub« 1903 jedoch zu seinem ersten großen Kinoerfolg verholfen. Schon für Edisons Kinetoscope-Läden waren Filme mit Western-

Die Filme der Nordisk verdankten ihren weltweiten Erfolg außergewöhnlichen Gestaltungsmitteln: künstlerischer Lichtregie, melodramatischen Stoffen, dem Realismus der Ausstattung und der Intensität ihrer natürlich und zurückhaltend agierenden Schauspieler.

Den ersten amerikanischen Filmstar, Florence Lawrence (1888–1938), kannte das Publikum nur als »Biograph Girl«. Die frühen Filmproduzenten führten die Darsteller auch nicht im Abspann auf, um die Gagen niedrig zu halten. Erst die unabhängigen Produzenten führten das Starsystem ein und nutzten die Namen für die Vermarktung.

Der Western überhöht die blutige Realität der Kolonisation des amerikanischen Westens in Bildern von Freiheit und Männlichkeit, im Mythos vom »Land der unbegrenzten Möglichkeiten«. Die letzte Einstellung aus »Der große Eisenbahnraub«, einem der ersten Western der Filmgeschichte.

»Rescued by Rover« (1905), ein Film des englischen Regisseurs Cecil M. Hepworth (1874–1953) über die Rettung eines gekidnappten Babys, ist nach den gleichen Prinzipien erzählt wie Porters »Der große Eisenbahnraub« und zeigt, wie schnell ästhetische Fortschritte in der ersten Dekade der Filmgeschichte adaptiert wurden.

motiven aufgenommen worden. Der Western ist eines der stabilsten Genres der Filmgeschichte, beschränkt sich jedoch – von Ausnahmen abgesehen – auf die USA. Ähnlich dem italienischen Monumentalfilm, der in der Visualisierung einer ruhmreichen Vergangenheit das erwachende Nationalbewußtsein des eben erst vereinten Italiens spiegelte, genügte der Western dem Bedürfnis der Menschen nach nationalen Mythen. Der Film war nicht länger nur Sensation und Nervenkitzel, sondern wurde Medium gesellschaftlicher Botschaften.

Mit »Der große Eisenbahnraub«, eine aus mehreren Szenen montierte Geschichte, machte Porter grundlegende erzählerische Komponenten des Spielfilms populär, die bald im internationalen Film nachgeahmt wurden. Rasante Szenen- und Schauplatzwechsel sowie Kameraschwenks innerhalb der Szenen erzeugen Spannung und machen die temporeiche Dynamik des Films aus.

Porter erzählt zunächst zwei Handlungsstränge unabhängig voneinander – allerdings noch ohne sie parallel zu montieren – und führt schließlich die beiden Handlungsparteien, die verbrecherischen Banditen und ihre Verfolger, zum finalen Kräftemessen zusammen. Dieser sogenannte Showdown, bis heute klassischer Höhepunkt des Westerngenres, gipfelte im »Großen Eisenbahnraub« in einer für das frühe Kino sensationellen Nahaufnahme: Der Anführer der Räuber zog die Pistole und zielte ins Publikum.

David W. Griffith (1875–1948) mit seinem bevorzugten Kameramann Billy Bitzer (1874–1944). Griffith kam als Schauspieler zum Film und wurde durch die Weiterentwicklung der Montagetechnik berühmt. Bitzer bewies außergewöhnliche Virtuosität in der Handhabung der Kamera; in seinen späten Filmen fällt die besonders stimmungsvolle Beleuchtungstechnik auf.

Kunst und Regeln der Montage

Der wichtigste Regisseur der frühen amerikanischen Filmproduktion und Wegbereiter des klassischen Hollywoodkinos war David W. Griffith. Von 1908 bis 1913 produzierte er an die 450 Einakter für die Biograph. Als er aber gegen den ausdrücklichen Widerstand der Firma seinen ersten Langfilm drehte, das Geschichtsdrama »Judith von Bethulien«, kam es zum Bruch mit den Geldgebern. Enttäuscht von der geringen Risikobereitschaft des Trustmitglieds Biograph, wechselte er zu den unabhängigen Produzenten, für die er seine filmhistorisch wichtigsten Projekte verwirklichen konnte.

Griffith gilt gemeinhin als Erfinder der Filmmontage, weil er die wichtigsten Innovationen des europäischen Kinos zusammengefaßt und weiterentwickelt hat. Wie die Brightoner, deren Filme in Amerika sehr populär waren, experimentierte er mit dem Insertschnitt. Er erkannte, daß die einzelne Einstellung und nicht die Szene das Kernelement filmischer Sprache bildet, und erweiterte das Repertoire um neue differenzierte Einstellungsgrößen. Zu Panorama-Aufnahmen, Totalen und Großaufnahmen kamen Halbtotale und Detailaufnahme, die er immer freier und in raschen, bewegungsintensiven Sequenzen montierte.

D.W. GRIFFITH'S
AMERICAN INSTITUTION
THE BIRTH OF A NATION
"THE SUPREME PICTURE OF ALL TIME"
NEW YORK MAIL
MAY 27 1931

»Die Geburt einer Nation« war einer der ersten sogenannten Blockbuster, ein monumentaler Film, in den ein Vermögen investiert wird. Er kostete 110 000 Dollar …

»Intolerance« verschlang sogar die tollkühne Summe von 1,9 Mio. Dollar. Deutsches Filmplakat zu »Intolerance«.

Die vielen Schnitte steigerten die Komplexität der Filme. Um Anschlußfehler zu vermeiden, mußte Griffith darauf achten, daß die zeitliche und räumliche Logik bewahrt wurde. Er entwickelte die Montageregeln, die fortan als Continuity-System den narrativen realistischen Film des klassischen Hollywood-Kinos bestimmen sollten. Nach diesem System muß jede Szene durch einen *establishing shot*, eine eröffnende Szenentotale, eingeleitet werden. Zur Vermeidung einer ruckartigen Bildbewegung sollte die einem Schnitt folgende Einstellung einen neuen Kamerawinkel und Bildausschnitt wählen. Damit Stellung und Haltung der Figuren und andere wichtige Bildelemente in den aufeinanderfolgenden Einstellungen zueinander passen, werden sie nach jedem Schnitt penibel überprüft: Die zwischen zwei Personen etablierte Handlungslinie darf z. B. beim Wechsel der Kameraposition nicht übersprungen werden. Griffith entwickelte eine Vorliebe für die von Williams eingeführte alternierende Parallelmontage und setzte sie geschickt zur Steigerung der Spannung ein.

Ermutigt durch den internationalen Erfolg von Pastrones »Cabiria« wagte er sich 1915 an sein erstes monumentales Film-Epos »Die Geburt einer Nation«. Der zweieinhalbstündige Film schildert die Geschichte des Amerikanischen Bürgerkriegs am Beispiel einer Nord- und einer Südstaatenfamilie, die, ursprünglich befreundet, nun gegeneinander kämpfen müssen. Der Film löste wegen seiner rassenhetzerischen Propaganda gegen die Abschaffung der Sklaverei eine erregte öffentliche Diskussion aus.

Um sich gegen den Vorwurf des Rassenvorurteils zu wehren, nahm Griffith 1916 mit »Intoleranz« ein noch ehrgeizigeres Projekt in Angriff. Dieser dreieinhalbstündige Mammutfilm setzte sich aus vier geschlossenen Geschichten zusammen, die das überzeitliche Problem menschlicher Intoleranz am Beispiel unterschied-

Szene aus »Geburt einer Nation« mit Lillian Gish (1893–1993), die als Verkörperung verletzter Unschuld nicht nur in Griffith' Spielfilmen zum Star wurde.

licher Kulturen und Epochen illustriert. Er erzählte mit Hilfe der Parallelmontage alle Episoden gleichzeitig, was ihn in der Schlußsequenz vor das Problem stellte, mehrere *last minute rescues*, gewissermaßen kleine Parallelmontagen, in einer großen alternierenden Schnittfolge zusammenzubringen. Der innovationsfreudige Regisseur setzte als erster einen Kran ein, von dem aus der Kameramann Billy Bitzer den Babylonischen Hof aus der Vogelperspektive in weitschweifigen Kameraschwenks filmen konnte.

Einstellung: Kleinste Einheit der Filmerzählung, ein einzelnes Phasenbild oder eine Folge von Phasenbildern, die fortlaufend nacheinander, ohne Änderung der Einstellungsgröße oder der Kameraperspektive, aufgenommen wurden

Einstellungsgröße: Der gewählte Bildausschnitt; unterschieden werden Panorama-Einstellung, Totale, Halbtotale, Halbnahe, Amerikanische, Nahe, Großaufnahme und Detailaufnahme.

Elliptische Montage: Montageform, die unwichtige Abschnitte einer Handlung ausläßt und diese auf ihre wichtigsten Entwicklungsschritte reduziert

Genre: Eine Gruppe von Filmen, die eine Reihe gleicher Merkmale thematischer und formaler Natur aufweisen und stets nach ähnlichen Mustern funktionieren, wie z. B. Western, Horrorfilme, Melodramen und Gangsterfilme

Insert-Schnitt: Eine Einstellung wird in eine Szene hineingeschnitten, ohne die Kontinuität zu stören, meist ein als Großaufnahme eingeschnittenes Detail.

Ladenkino: Erste ortsfeste Kinos in Deutschland

Last minute rescue: Form der Parallelmontage, wobei die Bilder einer bedrohten Gruppe in immer kürzeren Abständen mit denen ihrer herbeieilenden Retter konfrontiert werden. Typischerweise tritt die Rettung in letzter Minute ein.

Montage: Der handwerkliche Aneinanderschnitt unterschiedlicher Einstellungen, aber auch die kreative erzähltechnische Anordnung der unterschiedlichen Teile des Films zu einem künstlerischen Ganzen

Nickelodeon: Erste ortsfeste Kinos in Amerika, die nach dem Eintrittspreis, einem Nickel (5 Cents), benannt sind

One reeler: Ein- bis zweiaktige Filme von ca. 10–15 Minuten Dauer, die auf eine Spule (*reel*) passen

Parallelmontage: Schneller Einstellungswechsel zwischen zwei gleichzeitigen, aber räumlich getrennten Handlungen

Point-of-View-Shot: Einstellung aus der subjektiven Perspektive einer Figur

Schuß-Gegenschuß-Verfahren: Zwei gegenüberstehende Personen werden in einer Handlung so gezeigt, daß sie alternierend im Bild erscheinen; wird hauptsächlich für Dialogszenen angewandt.

Showdown: Typisches dramaturgisches Element des Westerns, in dem die konkurrierenden Handlungsparteien zu einem finalen Kräftemessen am Ende des Films zusammentreffen

Spielfilm: Narrativer Film, der in der Regel auf einem Drehbuch basiert und sich von den Gattungen Dokumentarfilm, Experimentalfilm, Essayfilm und Animationsfilm abgrenzen läßt

Der Film war nie stumm, doch am Anfang war nicht das Wort, sondern die Musik: Die Kinomusik ist so alt wie das Kino selbst. Sogar der Cinématograph wurde schon von Klaviermusik begleitet, wenn auch zunächst nur, um die Geräusche des Projektors zu übertönen.

Die Begleitmusik zu den frühen Nummernprogrammen, ausgeführt am Piano oder durch kleine Salon-Orchester, stand in der Regel in keinerlei Beziehung zu den gezeigten Bildern. Das änderte sich schlagartig, als das Kino sich vom plebeijischen Jahrmarktvergnügen zur bürgerlichen Unterhaltung wandelte. Kein geringerer als Camille Saint-Saëns wurde zur Mitarbeit am Prototyp des französischen Film d'art »Die Ermordung des Herzog von Guise« (1908) gewonnen. Ildebrando Pizetti komponierte derweil eine »Sinfonia del Fuoco« für den Brand von Karthago in Italiens erstem abendfüllendem Spielfilm »Cabiria« (1914).

Selbstverständlich zogen auch die Amerikaner nach. D. W. Griffith,

Pionier in Hollywood, ließ zwar für sein filmhistorisch in vieler Hinsicht bahnbrechendes Werk »Geburt einer Nation« (1915) keine Musik komponieren, wußte jedoch die Wirkung des emotionsgeladenen Epos durch die kreative Auswahl und den präzisen Einsatz von Zitaten aus Opern-Ouvertüren Richard Wagners, Carl Maria von Webers und Vincenzo Bellinis erheblich zu steigern.

Die Vorteile der inhaltlichen Abstimmung von Musik und Bild lagen auf der Hand, eine Originalkomposition blieb vorerst jedoch noch die Ausnahme. Die Qualität der Begleitmusik zu Stummfilmen hing statt dessen von der Repertoirekenntnis und dem Improvisationstalent der begleitenden Musiker ab: dem Pianisten, zu dem sich bald ein auch für die Geräusche zuständiger Schlagzeuger gesellte, dem Organisten an der seit 1911 Verbreitung findenden Wurlitzer-Orgel und schließlich den mit dem Glanz des Kinos wachsenden Orchesterbesetzungen.

Die Begleitmusik war den Musikern nicht einmal zwingend vorgeschrieben. Sie bedienten sich in sogenannten Kinotheken – Archiven, die unter Ausnutzung des gesamten Repertoires der romantischen Epoche zu jedem Typ von Filmszene passende Musiknummern anboten: Hektisches für Verfolgungsjagden, Idyllisches für Liebesszenen, Schwermütiges zur Untermalung

Ein Stummfilm-Pianist bei der Arbeit (1913)

Edmund Meisel war einer der bedeutendsten Filmkomponisten der 20er Jahre. Von ihm stammt z. B. die Musik für Sergej Eisensteins berühmten Revolutionsfilm »Panzerkreuzer Potemkin« (1925).

von Schicksalsschlägen und Dramatisches zur effektvollen Ankündigung drohender Gefahren. Diese Nummern wurden während der Filmvorführung einfach aneinandergehängt und durch improvisierte Überleitungen verknüpft.

Die Einführung des Tonfilms um 1927 hatte ganz unterschiedliche Auswirkungen auf die Filmmusik. Natürlich verschlechterte sich zunächst einmal die Aufführungsqualität. Mit dem in den Filmstreifen kopierten Lichtton, der schon bald den Nadelton, die Verbindung von Grammophon und Projektor, ablöste, konnten zwar die Synchronisierungsprobleme behoben werden, die Klangqualität reichte jedoch lange nicht an die der früheren Live-Aufführung heran. Da Sprache, Geräusche und Musik im frühen Tonfilm noch nicht getrennt, sondern gleichzeitig auf eine Spur aufgenommen werden mußten, bestand keine Möglichkeit, sie nachträglich abzumischen. Die meisten Filmproduzenten entschieden sich deshalb meist dafür, Sprache *oder* Musik im neuen Tonkino zum Klingen zu bringen. So verzichteten die Zuschauer der ersten *all-talkies* auf die gewohnte emotionsverstärkende Begleitmusik (Ausnahmen wie Alfred Hitchcocks »Blackmail« von 1929 bestätigen die Regel), während die Filmmusik sich im Genre des Musicals ein neues Terrain eroberte. Da hierbei Tanz und Musik im Zentrum stehen, wurden nun Originalpartituren benötigt, die, im Gegensatz zur Begleitmusik, vor dem Film entstehen mußten. Hollywood versorgte sich beim Broadway mit bewährten Stoffen und Künstlern, in Deutschland, wo die Tonfilm-Operette Erfolge feierte, kamen Schlagerkomponisten zum Zug.

Gleichzeitig entdeckten die Filmregisseure, die während der Stummfilmzeit nur in sehr begrenztem Maße Einfluß auf die Auswahl der Begleitmusik hatten, die Möglichkeiten des Musikeinsatzes. Hitchcocks »Blackmail« (1929), René Clairs »Unter den Dächern von Paris« (1930) und Fritz Langs »M« (1931) gehören zu den ersten Tonfilmen, in denen Musik nicht nur untermalend, sondern als eigenständiges ästhetisches Gestaltungsmittel zur Geltung kommt.

Im Laufe der Filmgeschichte kam es vor allem in Europa immer wieder zu fruchtbaren Kooperationen zwischen Regisseuren und Komponisten: Sergej Eisenstein und Sergej Prokofjev (»Alexandr Nevskij«, 1938), Bertolt Brecht und Hanns Eisler (»Kuhle Wampe«, 1932), Basil Wright und Benjamin Britten (»Nachtpost«, 1936), Marcel Carné

Die Arbeit des Komponisten beginnt erst, wenn der Film schon geschnitten ist: Die Musik entsteht nach den vom Bildlauf vorgegebenen Zeiten und wird nachsynchronisiert. Der Komponist dirigiert das Orchester zum gleichzeitig ablaufenden Film, während er den Dialog im Kopfhörer verfolgen kann. Der Tonmeister schließlich mischt im Studio Dialog, Geräusch und Musik zu einer Tonspur zusammen, die als Lichtspur auf den Filmstreifen kopiert wird. Das London Symphony Orchestra bei einer Filmtonaufnahme 1947.

und Maurice Jaubert (»Der Tag bricht an«, 1939), Jean Renoir und Joseph Kosma (»Die große Illusion«, 1937), Federico Fellini und Nino Rota (alle Filme, u. a. »La Strada«, 1954) und Peter Greenaway und Michael Nyman (u. a. »Der Kontrakt des Zeichners«, 1982).

In Hollywood führte die Filmmusik unterdessen ein Schattendasein; degradiert zu bloßen Stimmungsmachern, fanden die Komponisten meist nicht einmal im Abspann Erwähnung. Das änderte sich erst in den 50er Jahren, als die Vermarktung von Filmschlagern und Titelmusiken als zusätzliche Einnahmequelle entdeckt wurde.

Das Geschäft mit Schallplattenlizenzen floriert vor allem seit den 60er Jahren, als das Kino in der Konkurrenz zum Fernsehen sein bürgerliches Publikum verlor und statt dessen die Jugend mit modernen Musikfilmen um Stars wie Elvis Presley und die Beatles in seine Säle lockte. Seit dieser Zeit werden für fast alle Filme mit zeitgenössischen Stoffen Popmusiken komponiert, und die Filmmusik folgt dem Wandel der Moden.

Auch klassische Musik kommt gelegentlich zum Einsatz, in amerikanischen Filmen vor allem dann, wenn es wie in Miloš Formans Mozart-Huldigung »Amadeus« (1984) um die Lebensgeschichte eines Komponisten geht. Die Europäer greifen auf die Musikgeschichte durchaus auch ohne direkten thematischen Bezug zurück: So unterlegte Luchino Visconti seinen »Tod in Venedig« (1970) mit Gustav Mahler, während in Jean-Luc Godards »Vorname Carmen« (1983) Beethovens Streichquartette dominieren.

Gegenwartskomponisten von Rang schreiben selten für den Film. Der experimentelle Dokumentarfilm »Koyaanisqatsi-Prophezeiung« (1976–82), der durch die ungewöhnliche Montage von Bildern und Musik des Begründers der Minimal Music Philip Glass besticht, steht für die wenigen Ausnahmen. Die Klangsprache des 20. Jahrhunderts ist dennoch seit den 50er Jahren in der Filmmusik präsent. Was im Konzertsaal nur eine kleine Fangemeinde erreicht, ist im Massenkino Standard. Das populäre Genre des Horrorfilms mit seinen Hetz- und Panikepisoden wäre ohne die Errungenschaften avantgardistischer Kompositionen und deren geräuschhafter Spielanweisung nicht denkbar. Die musikalisch aufregendste Gruselmusik und avantgardistische Science-Fiction-Musik kommt heute aus der Werkstatt des Hollywoodkomponisten Jerry Goldsmith, der für berühmte Genrestreifen wie »Omen« (1975), »Alien« (1979) und »Total Recall« (1990) komponierte. Erfolgreicher ist wohl nur Steven Spielbergs Hauskomponist John Williams, dessen hymnische Melodien für beinahe alle Blockbuster aus der Factory den Sprung in die Charts schaffen und zu Millionenhits werden.

1916
Der Maler Franz Marc
fällt im Ersten Weltkrieg.
1917
Gründung der Salzburger
Festspiele
1919
Einführung des Achtstun-
den-Arbeitstages in
Deutschland; Gründung
des »Bauhauses« in Wei-
mar
1920–1923
Prohibitionsgesetz in
den USA
1921
Albert Einstein erhält
den Nobelpreis für
Physik.
1922
Gründung der UdSSR
1923
Erste Berliner Rundfunk-
sendung
1924
George Gershwin: »Rhap-
sody in Blue«
1926
Benito Mussolini erhält
in Italien die uneinge-
schränkte Regierungsge-
walt.
1927
Charles Lindbergh über-
quert den Atlantik.
1928
Uraufführung von Bertolt
Brechts und Kurt Weills
»Dreigroschenoper«

Die Alliierten kultivierten während des Krieges das Bild des Deutschen als »wilder Hunne«. In Cecil Hepworth' »The Outrage«
(1915) wird ein Deutscher 1914 vom Sohn einer Frau getötet, die
er während des Deutsch-Französischen Krieges von 1870 ver-
gewaltigt hatte.

Krieg und Kino

Der Erste Weltkrieg markierte einen Wendepunkt in
der Filmgeschichte. In den kriegführenden Ländern
ging die Produktion zwangsläufig zurück: Künstler
und Industriearbeiter wanderten an die Front, und ein
Teil der Filmrohstoff-Fabriken stellte auf die Herstellung von Munition um. Mit dem Kriegsgegner Đeutsch-
land verloren die bis dahin marktbeherrschenden Franzosen, Italiener und Dänen einen wichtigen Abnehmer. Sie büßten ihre Vorherrschaft auf dem Weltmarkt
ein, obwohl die Nachfrage an Filmen allerorten anstieg
– in Kriegszeiten boomt die Unterhaltungsindustrie
immer. Die Amerikaner, die schon seit der ersten Hälfte der 1910er Jahre international stark expandierten,
füllten das Vakuum, nahmen ab 1916 die führende
Stellung unter den Filmnationen ein und behaupten
sie bis heute. Im isolierten Deutschland, wo es vor
dem Krieg keine nennenswerte Filmproduktion gegeben hatte, mußte man 2000 feste Kinos plötzlich ei-

genständig mit der begehrten Ablenkung vom Kriegs-
alltag versorgen. Die Zahl der Filmproduktionsfirmen
stieg binnen weniger Jahre von 25 auf 250 an. Der 1917
gegründete halbstaatliche Filmkonzern Ufa (Univer-
sum-Film AG) konnte wegen der hohen Inflation seine
Filme nach dem Krieg konkurrenzlos billig auf den
Weltmarkt werfen und stieg zum größten Anbieter
neben den Studios in Hollywood auf.

Der Krieg brachte schließlich auch ein bisher noch
verborgenes Potential des neuen Massenmediums zur
vollen Entfaltung. Die gegnerischen Lager setzten ihn
geschickt zu kriegspropagandistischen Zwecken ein.
Vaterländische Filme sollten den Kriegswillen und die
Opferbereitschaft der Zivilbevölkerung fördern. Beide
Seiten standen sich in nichts nach, wenn es darum
ging, die Feinde als blutrünstige, Frauen und Kinder
metzelnde Bestien darzustellen und die eigenen Hel-
dentaten in fröhlichen Kriegsoperetten zu glorifizieren.

Die Ware Film

Während die Europäer die Massenwirksamkeit des Kinos politisch zu nutzen suchten, verstanden die Amerikaner den Film in erster Linie als Ware, deren Form
und Inhalt sich vollkommen dem Diktat der kommerziellen Auswertbarkeit unterzuordnen hatte. In Hollywood schlossen sich kleine Produktionsfirmen, Verleiher und Kinobesitzer zu drei großen Studios – Para-
mount-Publixs, Loew's (Metro-Goldwyn-Mayer) und
First National – zusammen, die die Spitzenpositionen
auf dem Markt einnahmen. Direkt hinter ihnen ran-
gierten die ›Little Five‹ Universal, Fox Film Corp.,
Producer Distribution Corp., Film
Booking Office und Warner Brothers.
Dank dieser Konzentration stieg die
Filmindustrie in den USA bis 1930
zur drittgrößten unter den umsatzstärksten Branchen auf. Das Kapital
für diese enorme Expansion lieferten
New Yorker Banken, die in den 20er
Jahren die Aktienmehrheit an allen

Nur wenige Wochen
vor Kriegsende drehte
Chaplin die erste kriti-
sche Sicht auf den Krieg
in Form einer Satire.
»Gewehr über« (1918)
wirft einen sehr mensch-
lichen Blick auf das Le-
ben in den Schützengrä-
ben und vermittelt ein
realistisches Bild vom
Krieg.

großen Studios erwarben und schließlich die Entscheidungsgewalt in den Studios auch in künstlerischen Fragen übernahmen.

Eine Ware, die auf dem Weltmarkt reüssieren will, mußte nach bestimmten marktgängigen Rezepten standardisiert werden. Nach Auffassung der Bankfachleute, die als Supervisoren bald alle Entscheidungen in den verschiedenen Phasen der Filmproduktion kontrollierten, führten genau definierbare Ingredienzien zum Erfolg eines Films und bestimmten seinen Kassenwert, den sogenannten *box office value*: berühmte Stars (*star value*), großartige Ausstattung und prestigesteigernde Publizierung der Produktionskosten (*production value*) sowie populäre Stoffe, die möglichst schon einen Bühnen- oder Romanerfolg erzielt haben (*story value*). Die Studios bauten ihre Filmstars durch gezielte Werbefeldzüge auf und legten sie auf erfolgreiche Rollenklischees fest. Die heute in den meisten Filmgeschichten genannten prägenden Regisseure Hollywoods der 20er Jahre wie Ernst Lubitsch, Cecil B. De Mille und Charles Chaplin stellten in Wahrheit Ausnahmen dar, die sich wegen ihres außergewöhnlichen Erfolges eine gewisse Unabhängigkeit bewahren konnten, wenn sie sich nicht wie Erich von Stroheim oder Robert Flaherty wegen ihrer künstlerischen Eigenwil-

Fanmagazine halfen bereits in den 1910er Jahren dabei, neue Stars aufzubauen.

Mary Pickford war die erste Schauspielerin, die man gezielt zum Star aufbaute. Die zukünftigen Idole wurden fortan nach folgenden Kriterien ausgewählt: Sie mußten sich einem eindeutigen Typ zuordnen lassen, dessen Charakter sich im Aussehen spiegelte, und ein unverwechselbares Gesicht, persönliche Ausstrahlung und Fotogenität mitbringen. Wie Mary Pickford waren die bevorzugten weiblichen Stars zunächst vor allem treue und liebe Mädchen, die erst im Mann ihre Erfüllung finden.

ligkeit ständigen Ärger mit ihren Produzenten einhandelten. Die Filmproduktion der 20er wurde tatsächlich dominiert von weitgehend entmündigten Durchschnittsregisseuren, die nicht einmal den letzten Schnitt an ihren Filmen vornehmen durften. Bis heute wird das Recht des letzten Schnitts freilich nur wenigen herausragenden Regisseuren eingeräumt.

Die Studios spezialisierten sich zunehmend auf Genres wie Western, Gangsterfilm, Melodrama, Gesellschaftskomödie und Historienfilm, hinter deren typisierten dramaturgischen Sets sich die oberflächliche Variation eines erprobten Erfolgsrezepts verbarg. Dabei unterschied man zwischen aufwendig produzierten Prestigefilmen, den A-Pictures, deren Budget meist über 500 000 Dollars lag, und den billigen B-Pictures, die den Filmtheatern im Rahmen des sogenannten Blockbuchsystems im Paket mit den Kassenknüllern aufgezwungen wurden.

Rudolph Valentino kreierte den Typ des *latin lovers* und gehörte neben Douglas Fairbanks zu den beliebtesten Stars, auch wenn er bis zu seinem frühen Tod 1926 in nur sechs Filmen die Hauptrolle spielte. Szene aus Valentinos letztem Film »Der Sohn des Scheichs« (1926). Berichte über das angebliche Privatleben der Stars war schon üblicher Bestandteil der Werbekampagnen. Da aber immer mehr Skandale in der Presse verhandelt wurden und damit auch die Filme in den Verdacht der Unmoral gerieten, kam die Filmindustrie staatlichen Zensurmaßnahmen mit der Einrichtung der sogenannten Hays-Offices zur freiwilligen Selbstkontrolle zuvor.

Gezielt holten die großen Studios schon zur Stummfilmzeit die besten Kräfte des europäischen Kinos nach Hollywood. Einer der lukrativsten Importe war der Deutsche Ernst Lubitsch (1892–1947), auf dessen außergewöhnliches Talent als Regisseur geistreicher und erotisch prickelnder Filme sein Melodrama »Madame Dubarry« (1919) aufmerksam gemacht hatte. Die flüssige Erzählweise und die für ihn spezifische Mischung aus spielerischer Eleganz und Ironie ging als »Lubitsch-Touch« in die Geschichte ein.

Der von Eisenstein, Renoir und Cocteau als größtes Filmgenie seiner Zeit bewunderte Erich von Stroheim (1885–1957) gehörte zu den ersten prominenten Opfern des Studiosystems. Er war offensichtlich nicht in der Lage, sein brillantes Material auf kommerzielle Maßstäbe zuzuschneiden. Nur sein Filmdebüt »Blinde Ehemänner« (1918) kam unverstümmelt in die Kinos. Seine Meisterwerke, u. a. »Gier« (1924), wurden von ihrer extremen Überlänge auf eine gängige Spielfilmdauer reduziert; bei seinen letzten Filmen entzog man Stroheim die Regie noch vor der Fertigstellung.

Französische Filmburlesken lieferten das Vorbild für den amerikanischen Slapstick.

Slapstick

In Hollywood wurde während der Frühzeit des Stummfilms vor allem ein Genre bedient: die Filmkomödie. Der Griffith-Schüler Mack Sennett (1884–1960) gilt als Vater des Slapstick, wiewohl er selbst immer auf seine Inspiration durch französische Filmburlesken verwies.

Mack Sennett nahm bei seiner Arbeit große Rücksicht auf die Reaktionen des Publikums. Er entdeckte zum Beispiel, daß ein Bild freizügig gekleideter Badenixen große Werbewirksamkeit hatte und führte ab 1915 die »Bathing Beauties« als zweite feste Truppe neben seinen chaotischen Polizisten, den »Keystone Kops«, in seine Filme ein.

In seiner Slapstick-Factory produzierte er am laufenden Band einaktige Grotesken nach dem Prinzip der italienischen Commedia dell'arte. Die derb-komische Handlung wurde auf der Basis einiger Grundmuster improvisiert. Den Höhepunkt bildete eine Tortenschlacht, zum furiosen Finale führte eine halsbrecherische Verfolgungsjagd in präzisen und rasanten Schnitten. Unweigerlich verwickelt waren ein chaotischer Polizeitrupp, die beliebten »Keystone Kops«, hübsche Mädchen und simple Prügelknaben, die selbst die ärgste Katastrophe überlebten, wenn auch derangiert. Aggressivität, Schadenfreude und anarchische Lust an finalen Zerstörungsorgien bestimmten die Aneinanderreihung treffsicherer Gags, wobei auf narrative Wahrscheinlichkeit mitunter wenig Wert gelegt wurde. Gezielt perfektionierte Sennett in seinen über 500 Kurzfilmen die Kunst des Slapsticks, erprobte die komische Wirkung von Zeitraffer und Rücklauf und befreite die Kamera, die notwendigerweise genauso beweglich sein mußte wie die Komiker selbst, aus der starren Position eines Theaterzuschauers.

Die großen amerikanischen Filmkomiker

In den 20er Jahren gingen die erfolgreichsten Stars des Slapsticks allmählich dazu über, Komödien in Spielfilmlänge zu produzieren. Ihr Markenzeichen waren einzigartige komische Persönlichkeiten, meist gesellschaftliche Außenseiter, die den großen und kleinen Katastrophen des Lebens mit den für sie typischen und unveränderlichen Reaktionen begegneten. Charles Chaplins witzig-sentimentaler Tramp im heruntergekommenen Ausgehanzug des Möchtegern-Lebemannes, Buster Keatons unerschütterliches »Stoneface«, Harold Lloyds linkischer Junge von nebenan und das ungleiche Paar Laurel & Hardy verfeinerten den kruden Slapstick zu meisterhafter visueller Komödienkunst.

Bemerkenswert ist die Arbeitsweise der Filmkomiker. Sie kamen fast ausnahmslos vom Vaudeville oder aus dem Varieté und hatten das Filmhandwerk bei Mack Sennett oder seinem Konkurrenten, dem unabhängigen Produzenten Hal Roach, erlernt. Ohne festes Drehbuch erarbeiteten sie ihre Geschichten in Improvisationen auf dem Set, ausgehend manchmal nur von einem Requisit, einem Gag oder einer kleinen Alltagsszene, die sie irgendwo beobachtet hatten. Diese aufwendige Arbeitsmethode zog die Drehzeit unter Umständen unkontrollierbar in die Länge und machte den Erfolg, zumindest in den Augen der Geldgeber,

Charles Chaplin (1889–1977) verfeinerte seinen zunächst eher rüpelhaften und lüsternen kleinen Tramp allmählich zu einem sympathischen Underdog, der sich mit Witz und Gefühl durchs Leben schlägt und dennoch kein Bein auf den Boden der bürgerlichen Gesellschaft bekommt. Spezifisch für Chaplins Filme ist die Verbindung von Komödie und sozialer Tragödie, mit der ein deutliches politisches Engagement, aber auch ein zunehmender Hang zu Pathos und Sentimentalität einherging. Zu seinen größten Stummfilmerfolgen zählt neben »Das Kind« (1920) das Pioniersmärchen »Goldrausch« (1924).

Buster Keatons (1895–1966) »Stoneface« ist im Vergleich mit Chaplin ein eher unsozialer Charakter, der sich unerschütterlich in einen scheinbar aussichtslosen Kampf gegen die Materie wirft. Ob im Clinch mit einem verlassenen Dampfschiff in »Der Navigator« (1924), einer Lokomotive in »Der General« (1926) oder einer Filmkamera in »Der Kameramann« (1928): Buster zeigt den Menschen im Maschinenzeitalter mit bizarrem, oft an Surrealismus grenzendem Humor, ohne jemals zu lächeln.

Die amerikanischste und realistischste Figur steuerte Harold Lloyd (1893–1971) bei. Sein mit Hornbrille und Strohhut bewehrter Junge von nebenan ist ein durchschnittlicher Kleinstädter, der unglaubliche Abenteuer durchstehen muß und dann unversehens zum Helden wird. Auf den Höhepunkten seiner *thrill comedies* findet er sich z. B. in schwindelnder Höhe an einem Hochhaus hängend wie bei seinem wohl berühmtesten Stunt in »Ausgerechnet Wolkenkratzer« (1923).

1927 begannen Stan Laurel (1890–1965) und Oliver Hardy (1892–1957) eine der fruchtbarsten Partnerschaften der Filmgeschichte. Ihre Komik erwuchs aus der Konfrontation der ungleichen Partner: der Dicke gegen den Dünnen, der leidende Papa Olli gegen einen kindlich destruktiven Stan. Wie ein Liebespaar im Ehegefängnis streiten sie unentwegt und können doch nicht ohne einander existieren.

unkalkulierbar. Chaplin z. B. vertrat die Auffassung: »An einem guten Film muß man mindestens ein Jahr arbeiten« und verbrauchte für einen Film von etwa 600 m Spiellänge ohne weiteres 10 000 m Rohfilm. Nur finanziell unabhängige Stars waren in der Lage, sich solche Produktionsbedingungen zu leisten, während in den marktführenden Studios bereits die New Yorker Supervisoren mit ihren standardisierten Produktionsrichtlinien den Ton angaben.

Weit mehr als die Einführung des Tonfilms schadete den Stummfilmkomikern die schließlich unvermeidliche Einordnung in die rigide Produktionsmaschinerie der großen Studios. Ende der 20er Jahre gab z. B. Keaton seine Unabhängigkeit auf und wurde ein Star der MGM, wo man selbstverständlich erwartete, daß er nach einem festen Drehbuch arbeitete. Seine Spontaneität litt unter den Zwängen der straffen Studioarbeit, und so konnte er, obwohl seine ersten Tonfilme noch Kassenschlager wurden, künstlerisch nicht mehr an seine Stummfilmerfolge anknüpfen. Ähnlich erging es auch Laurel & Hardy, die, als sie sich in den 40er Jahren an die Twentieth Century Fox und MGM banden, ihre Frische verloren und sich zunehmend wiederholten. Chaplin hingegen beugte der drohenden Abhängigkeit bereits 1919 vor und gründete gemeinsam mit anderen Stars die United Artists, deren erklärtes Ziel die Finanzierung von »Qualitätsfilmen« unabhängiger Produzenten war, die sich nicht dem Diktat der großen Studios unterwerfen wollten.

Die berühmten Gründer
von United Artists:
Douglas Fairbanks, Mary
Pickford, Charles Chaplin und D. W. Griffith

Die europäische Avantgarde

Der Erste Weltkrieg hatte den internationalen Wirkungskreis der europäischen Filmnationen stark eingeschränkt. Seit den 20er Jahren beherrschte Hollywood den Weltmarkt beinahe unangefochten. Die Umsätze der großen Studios waren so gigantisch, daß ihre Regisseure über die höchsten Produktionsetats der Welt gebieten und tollkühne Summen in Stars, Kostüme, Dekors und Effekte investieren konnten. Für die europäische Filmindustrie erwies es sich unter diesen Bedingungen als entschieden einträglicher, einen amerikanischen Film einzukaufen und zu vertreiben, als selbst zu produzieren. Große Firmen wie Pathé und Gaumont konzentrierten sich auf das Verleihgeschäft. In Italien wurden Mitte der 20er Jahre nur circa zehn Filme jährlich gedreht, in England kamen 1926 gerade noch 5 % der gezeigten Filme aus heimischer Produktion, in Frankreich waren es immerhin 10 %.

Der Rückzug der ehemaligen Branchenführer aber schuf Raum für eine neue Generation von Filmkünstlern. Kleine Firmen versuchten, mit Avant-

Die Filmindustrie des neutralen Schweden förderte entschieden die Entwicklung ihrer eigenen Regietalente Mauritz Stiller (1883–1928) und Victor Sjöström (1879–1960), als der Erste Weltkrieg den Import ausländischer Filme erheblich drosselte. Sjöströms Filme fanden wegen der außergewöhnlichen Verbindung der Darstellung von Natur und Gefühlswelt der Figuren internationale Beachtung. In »Terje Vigen« (1916) hadert der Fischer Terje nach dem Tod seiner Familie mit der schönen, aber grausamen Natur. Wie Sjöström wurde auch Stiller, ein Meister der ironischen Komödie, Anfang der 20er Jahre nach Hollywood engagiert. Er brachte Greta Garbo (1905–1990) mit, die in seinem »Gösta Berling« (1924, links) erstmals international auffiel.

garde-Produktionen einen eigenen Markt zu erobern. Fasziniert von Griffith' ästhetischen Fortschritten, wollten die jungen Künstler Alternativen zu den standardisierten Hollywood-Maßarbeiten schaffen. Die Intelligenz begann, sich für das Kino zu interessieren. In vielen europäischen Ländern richteten Filmclubs wie die Londoner Filmsociety oder der Pariser Ciné-Club spezielle Filmtheater für Avantgarde-Filme ein, organisierten Vorträge, Ausstellungen und Publikumsdiskussionen und setzten in den ersten Filmzeitschriften eine theoretische Diskussion in Gang.

Französischer Impressionismus

Ein typisch impressionistischer Effekt: In Dimitri Kirsanoffs »Ménilmontant« (1926) werden die aufgewühlten Gefühle der Heldin durch den Fluß, der über die Großaufnahme ihres Gesichts gelegt wird, illustriert.

Vor allem den französischen »Cinéastes« gelang es, ein intellektuelles Fachpublikum für die »siebte Kunst« zu begeistern. Eine Gruppe von Regisseuren – Louis Delluc, Germaine Dulac, Abel Gance, Marcel L'Herbier und Jean Ebstein – bekannten sich zur impressionistischen Filmkunst und legten ihre Theorien in poetischen und oft verworrenen Essays dar. Kunst, so postulierten sie, transportiere keine Wahrheiten, sondern Erfahrungen. Die persönliche Sicht des Künstlers und »Gefühle statt Geschichten« sollten den Kern eines Films bilden, ihn zum »poetischen Ausdruck der Seele« werden lassen. Delluc definierte 1918 mit dem Konzept der »Photogénie« die entscheidende Qualität, die ein Filmbild vom abgebildeten Objekt unterscheidet. Die Abbildung, schrieb Delluc, verleihe einem Objekt neue Bedeutung, indem sie dem Zuschauer durch den Blick des Filmers eine andere Sicht darauf eröffnet.

In der Praxis konzentrierten sich die impressionistischen Regisseure zunächst auf das Bild selbst. Mittels optischer Tricks suchten sie die Eindrücke der Filmfiguren – Träume, Erinnerungen, Visionen und Gedanken – zu illustrieren. Sie nahmen Bilder über einen Zerrspiegel auf, unterlegten Bildausschnitte mit Filtern oder unterteilten das Filmbild in kleinere Einzelbilder.

Für Marcel L'Herbiers »Die Unmenschliche« (1924) entwarf der bedeutende Architekt R. Mallet-Stevens einen Teil der Kulisse.

Die Subjektivität des Blicks unterstrichen sie durch die »subjektive Kamera«, d. h. extreme Perspektiven, gekippte Bildformate und Kamerabewegungen, die uns die Szenerie durch die Augen der Figuren zeigen.

Größten Wert legten die Impressionisten auf die Mise-en-scène, d. h. auf alle Elemente, die die Inszenierung des Filmbildes ausmachen. Sie hielten ihre Darsteller zu untheatralem, zurückhaltendem Spiel an und setzten die z. T. von zeitgenössischen Malern und Architekten kubistisch oder im Art-Déco-Stil gestalteten Räume effektvoll beleuchtet in Szene.

Ab 1923 lösten sich die Impressionisten von ihrer Fixierung auf Bild und Kameraführung und experimentierten, angeregt durch Griffith' wagemutige Montagen, mit rhythmischen Schnittfolgen. Besonders schnelle Schnittfolgen sollten z. B. den inneren Aufruhr der Protagonisten nachfühlbar machen.

Abel Gance' (1889–1981) historisches Epos »Napoleon« (1925–27) ist eines der ambitioniertesten Filmprojekte der 20er Jahre. In dem Mammutfilm von ursprünglich zwölf Stunden Spieldauer setzte Gance die neuesten filmischen Techniken virtuos ein: Aufnahmen über Zerrspiegel, Doppelbelichtungen, schnelle Schnittfolgen und den sehr freien Gebrauch der Handkamera, die er etwa auf dem Rücken eines Pferdes montierte oder während einer Schneeballschlacht hin- und herwerfen ließ. Berühmt ist der Film außerdem für seine breitformatigen Panorama-Aufnahmen, für deren Projektion drei Leinwände aufgestellt werden mußten, die zugleich als Tableau für die gleichzeitige Projektion dreier Filmbilder in der Art eines Triptychon dienten. Die aufwendige Wiederher-

Cinéma pur

Auf der Suche nach der reinen Kunst des Kinos wandten sich einige Avantgardisten schließlich von Geschichten und Inhalten völlig ab und beschritten den radikalen Weg des »Cinéma pur«, der in Deutschland sein Pendant im »Absoluten Film« fand. Die Verfechter der graphisch-abstrakten Linie wollten den Film

stellung des für die Uraufführung verstümmelten Films nahm die Restauratoren der Cinémathèque Française zehn Jahre lang, von 1969 bis 1979, in Anspruch.

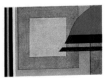

Der bedeutendste deutsche Vertreter des »Absoluten Films« war Walter Ruttmann (1887–1941). In »Opus I–IV« experimentierte er zwischen 1921 und 1924 zunächst mit rein graphischen abstrakten Formspielen (oben), sein berühmtester Film war jedoch »Berlin — Die Symphonie einer Großstadt« (1927), ein radikales Experiment mit Bewegung und Rhythmus, montiert aus dokumentarischen Bildern des zeitgenössischen Berlin.

zunächst nicht nur von allen dramatischen, sondern auch von fotografisch-dokumentarischen Elementen befreien und definierten Film als Spiel von rhythmisch geordneten Farben und Formen, als »Malerei in der Zeit«. 1924 schuf der Maler Fernand Léger einen der ersten rein abstrakten Filme auf der Basis von fotografischem Material: »Mechanisches Ballet«, eine rhythmische Montage aus Bildern von einer Frau, die sich eine Treppe hinaufschleppt, tanzenden Küchengeräten und einer kubistischen Chaplinpuppe. Einer der wichtigsten Filme des »Cinéma pur« ist René Clairs (1898–1981) dadaistisch beeinflußter »Zwischenakt« (1924). Der Regisseur ließ sich bei der Zusammenstellung der phantastisch-irrealen Bilder dieser verrückten Collage angeblich allein von ihrem für den Rhythmus des Films entscheidenden Bewegungswert leiten.

Surrealistischer Film

Seinen Höhepunkt und die größte öffentliche Aufmerksamkeit erreichte der Avantgarde-Film der 20er Jahre mit den Arbeiten Luis Buñuels (1900–83). Gemeinsam mit dem Maler Salvador Dalí inszenierte er schockierende Bilder und montierte sie, beeinflußt von der aufkommenden Psychoanalyse, in alogischen, traumhaft assoziativen Folgen. In »Ein andalusischer Hund« (1928) tauchen die Bilder einer Liebesgeschichte wie aus dem Unterbewußtsein der Protagonisten auf. Ein Mann zerschneidet mit einer Rasierklinge das Auge eines jungen Mädchens in Großaufnahme. Eine weitere Bildfolge zeigt Priester, Melonen, Klaviere und Eselskadaver, die an einen jungen Mann angeseilt sind und ihn hindern, zu einem Mädchen zu gelangen.

Eine noch provozierendere Attacke gegen bürgerliche Werte fuhr Buñuel mit

Eine der berühmtesten und meistzitierten Einstellungen der Filmgeschichte aus »Ein andalusischer Hund«. Dem Film war schon 1928 großer Publikumserfolg beschieden. Er lief nach seiner Uraufführung neun Monate lang en suite vor vollem Haus.

seinem ersten Tonfilm »Das goldene Zeitalter« (1930).
Mit seinem blasphemischen Angriff gegen alle gesell-
schaftlichen Ordnungskräfte, auf deren Höhepunkt
Christus als letzter Überlebender einer sadistischen
Orgie erscheint, rebellierte Buñuel gegen sexuelle und
politische Unterdrückung jeder Art.

In den 30er Jahren zerfiel die surrealistische Bewegung, zu der u. a. auch der amerikanische Fotograf
Man Ray mit seinem Film »Der Seestern« (1929) und
Germaine Dulac mit »Die Muschel und der Kleriker«
(1927) zu rechnen sind, zwischen linkem und rechtem
Extremismus. Ihre Filme übten jedoch starken Einfluß
auf das sich nach dem Zweiten Weltkrieg neu orientie-
rende europäische Kino aus, namentlich auf die Regisseure Federico Fellini, Pier Paolo Pasolini, Jean Cocteau, Carlos Saura und Bernardo Bertolucci.

Am Ende haben die von
der Liebe Besessenen
den verzweifelten Kampf
gegen die sexualfeindli-
chen Kulturregeln verlo-
ren. Die Heldin saugt
frustriert am großen Zeh
einer Statue. Der zweite
Film des Teams Buñuel/
Dalí, »Das goldene Zeit-
alter«, schockierte die
bürgerliche und klerikale
Welt in einem heute
kaum noch vorstellbaren
Maß und wurde kurz
nach seiner Urauffüh-
rung verboten.

Der deutsche Expressionismus

Die Mehrzahl der deutschen Filmproduktionen bestand während des Krieges aus Unterhaltungsfilmen –
Komödien, Melodramen und Detektivfilmen –, unterschied sich also kaum vom weltweiten Standard. Auf
internationales Interesse stießen erst die Bemühungen, einen künstlerischen Film im Stil der populären
zeitgenössischen Kunstrichtung des Expressionismus
zu kreieren. Das Unternehmen wurde Ende der 1910er
Jahre von einigen Künstlern generalstabsmäßig ange-
gangen und erfuhr wohlwollende Förderung durch die
großen Filmkonzerne. Man spekulierte darauf, daß
eine ästhetische Novität den Weg für das verstärkte
deutsche Exportstreben bereiten und dem jungen

Der erfolgreichste ex-
pressionistische Film
»Das Cabinet des Dr. Ca-
ligari« (1919) von Robert
Wiene war bereits als
Kassenerfolg für das
kunstsinnige Publikum
geplant. Er wurde von
einer raffinierten Werbe-
kampagne begleitet und
in großen Kinopalästen
zur Erstaufführung ge-
bracht, um ihm die not-
wendige Aufmerksamkeit
der Presse zu sichern.

Der Expressionismus entdeckte Licht und Schatten als gestalterische Dimensionen. »Nosferatu — Eine Symphonie des Grauens« (1922) von Friedrich Wilhelm Murnau (1888–1931) ist dem Expressionismus nur noch bedingt zuzurechnen, aber eindeutig von ihm beeinflußt. Murnau verzichtete in diesem ersten Vampirfilm auf das typisch stilisierte Dekor und gewann der Natur und der Realität durch gezielte Kameraführung und geschickte Lichtdramaturgie eine drückende Atmosphäre des Unheimlichen ab. Weitere wichtige Filme Murnaus waren »Der letzte Mann« (1924) und seine Verfilmung von Goethes »Faust« (1926).

Medium auch im Inland eine neue, bürgerliche Publikumsschicht gewinnen würde.

Im Theater und in der Malerei hatte sich der Expressionismus zu Beginn des Jahrhunderts als Gegenbewegung zum Realismus formiert. Expressionistische Künstler wollten statt der äußeren Erscheinung der Realität die innere Wirklichkeit der Gefühle abbilden. Das allgemeine Bewußtsein stand zu Beginn der 20er Jahre noch ganz unter dem Eindruck des Krieges, und so dominieren auf der Leinwand des expressionistischen Films düstere, phantastische Motive und Individuen, die übermenschlichen Wesen, erbarmungslosen Schicksalsmächten oder den eigenen dunklen Trieben ausgeliefert sind. Diese Stoffwahl wurde als Flucht vor der bedrückenden Nachkriegsrealität in eine weltentrückte Schauerromantik oder auch als Vorwegnahme des nächsten, noch grauenvolleren Krieges interpretiert.

Seinen Erfolg verdankte der deutsche Expressionismus vor allem seiner artifiziellen Ausstattung und Inszenierung. Expressionistische Filme kamen dem zeitgenössischen Theater noch sehr nahe, sie wurden vor statt mit der Kamera gestaltet. Die Schauspieler malten sich das Herz auf die Brust und agierten mit überspannten Bewegungen, die dem oberflächlichen Betrachter heute wie ein extremer Stummfilmgestus erscheinen mögen. Doch das ausgestellte Spiel fügt sich durchaus organisch ins kontrastreiche Dekor aus flächig bemalten Kulissen. Expressionistische Filmarchitekten schufen beseelte Szenerien, die in ihren verzerrten Proportionen das Innenleben der handelnden Figuren spiegelten. Ungewöhnliche Achsenverhältnisse und extreme Kamerawinkel ließ die in ausdrucksvolle Licht- und Schatteneffekte getauchte Kulisse unheimlich und zeichenhaft erscheinen.

Trotz des großen internationalen Erfolges von »Das Cabinet des Dr. Caligari« (Regie: Robert Wiene, 1919), dem ersten expressionistischen Film, konnte sich der artifizielle Stil auf Dauer nicht behaupten, sein Einfluß auf die Entwicklung des Horror- und Gangstergenres der 30er Jahre ist jedoch unübersehbar. Nach einer

kurzen Blüte wich er der neuen Sachlichkeit, einer Stilrichtung, die sich im Gegensatz zum Expressionismus der Abbildung und kritischen Betrachtung der sozialen Wirklichkeit widmete.

Sowjetischer Revolutionsfilm

In der UdSSR machten sich junge Künstler direkt nach der Revolution daran, eine sozialistische Kunst zu kreieren. Wie im Theater, in der Literatur, den bildenden Künsten und der Fotografie experimentierten auch die Filmemacher, ausgehend von den Ideen des Futurismus und des Konstruktivismus. Starke Impulse für den avantgardistischen Aufbruch des Films, der von der Staatlichen Erziehungskommission zunächst gefördert wurde, gingen freilich von Hollywood aus. Die sowjetischen Filmemacher bewunderten vor allem Griffith – »Intoleranz« wurde 1919 unter großem Bei-

Fritz Lang (1890–1976) ist neben Murnau der einzige herausragende expressionistische Regisseur. »Der müde Tod« (1921) und »Dr. Mabuse der Spieler« (1922) spielen in betont künstlichen Kulissen und sind expressionistisch beleuchtet. Sein Meisterwerk »Metropolis« (1926) glänzt durch gigantische Filmarchitektur, virtuos durchkomponiertes Licht- und Schattenspiel, rhythmischen Schnitt und beeindruckende Massenszenen. Die Science-Fiction-Story wurde jedoch wegen ihrer Nähe zum faschistischen Gedankengut – die Idealisierung eines Bündnisses zwischen unterdrückter Arbeiterklasse und einer Führungselite – kritisiert. Lang distanzierte sich von den Nationalsozialisten, die seinen Film »Die Nibelungen« (1924) bewunderten, und floh 1933 nach Frankreich.

Die sowjetische Führung erkannte von Anfang an den Wert des neuen Mediums für die Propaganda. »Die Filmkunst ist für uns die wichtigste aller Künste«, erklärte Vladimir Iljitsch Lenin, und eine öffentliche Resolution zum Kino empfahl seine Umformung zu einer »echten und starken Waffe für die Aufklärung der Arbeiterklasse und die breiten Massen des Volkes und einem der bedeutendsten Mittel im heiligen Kampf des Proletariats weg vom schmalen Pfad der bourgeoisen Kunst«.
Plakat zu Alexander Dovshenkos Film »Erde« (1930), der den Konflikt zwischen Kolchos-Traktoristen und kollektivfeindlichen Bauern in der Umgestaltungsphase der frühen Sowjetunion aufgreift.

Bereits 1918 wurden Agit-Züge eingesetzt, die mit einem Kinoprogramm auch die entlegensten Teile der Sowjetunion erreichten und helfen sollten, die Moral der bedrängten Roten Armee aufrechtzuerhalten und die überwiegend analphabethische Bevölkerung für den Sozialismus zu agitieren.

Sergej M. Eisenstein (1898–1948) studierte Architektur, nahm als Rotarmist am Bürgerkrieg teil und arbeitete am Proletkult-Theater, bevor er 1923 den ersten seiner ästhetisch innovativen Revolutionsfilme drehte. 1929 reiste er in offiziellem Auftrag, vermutlich um die neuen Tonfilmtechniken zu erforschen, ins Ausland. Filmprojekte in Hollywood und Mexiko scheiterten, und auch nach seiner Rückkehr in die Sowjetunion 1933 konnte der als Formalist kritisierte Künstler nicht mehr an seine alten Erfolge anknüpfen.

fall in Moskau gezeigt –, seinen Sinn für Temposteigerung und Kontraste, mithin seine Montagetechnik. Die experimentelle Weiterentwicklung der Montage sollte zum wichtigsten Merkmal des russischen Avantgarde-Films werden.

Zunächst setzten sich die jungen Filmemacher jedoch mit den politischen Implikationen des formalen Fortschritts auseinander. Die spezifische Form des Hollywoodfilms, so kritisierten sie, fungiere als ein Medium ideologischer Botschaften. Die Montagetechnik des »unsichtbaren Schnitts« und die typische Spannungsdramaturgie der Inszenierungen des »amerikanischen Traums« erklärten sie zur affirmativen Ästhetik, die von kapitalistischen Verwertungsinteressen geprägt sei und den Zuschauer manipuliere statt agitiere. Die neu zu entwickelnde sozialistische Ästhetik sollte hingegen den Zuschauer zum Mitdenken auffordern und die Wirklichkeit der gesellschaftlichen Verhältnisse spiegeln.

Montage-Experimente

Griffith nutzte die neue Technik der Montage vor allem dazu, die dramaturgische Spannung effektvoll zu steigern. In seinen Parallelmontagen konfrontierte er scharfe Kontraste wie zum Beispiel Armut und Reichtum, ohne jedoch die Ursachen des Konfliktes aufzuzeigen. Um eine solche Nutzung der Montagetechnik im Sinne einer dialektischen Argumentation der Montage aber ging es den russischen Avantgarde-Filmern.

An der Filmschulhochschule Moskaus versammelte sich um den Leiter Lev Kuleshov (1899–1970) ein Kreis jüngerer Filmemacher, die auf theoretischem und experimentellem Wege herauszufinden versuchten, wie abstrakte Gedanken im Stummfilm dargestellt werden können. Ausgangsthese war, daß im Film der Schnitt vor dem Bildinhalt rangiert, Bedeutung also eher über Montage als über die Mise-en-scène vermittelt wird. »Mit der Montage«, so Kuleshov, »kann man zerstören, reparieren oder sein Material vollkommen umschmelzen.« Den Beweis dazu trat er mit einem berühmt gewordenen Experiment an, das als Kuleshov-Effekt Geschichte machte: Er kombinierte Kopien einer einzigen, nahezu ausdruckslosen Nahaufnahme eines Schauspielers in einem Filmstreifen abwechselnd mit dem Bild einer toten Frau, eines Tellers Suppe und eines spielenden Mädchens. Das Publikum lobte begeistert die differenzierten Ausdrucksmöglichkeiten des Schauspielers, die man in seinem Bild entdeckt zu haben glaubte. Der Zuschauer, so folgerte Kuleshov, versteht also genau das, was die Montage ihm suggeriert.

Das Leben in seinen unbedeutenden Details mit dem Kino-Auge zu überrumpeln, war das Ziel des Montagekünstlers Dziga Vertov. Der Dokumentarfilmer nannte den Spielfilm »Kino-Nikotin« und lehnte ihn ab, weil er wie eine Droge die Wahrnehmung für die soziale und politische Realität abstumpfe. Statt dessen produzierte er 1922–25 eine neue Form der Wochenschau, die »Kino-Pravda« (Kino-Wahrheit), für die er dokumentarisches Bildmaterial, das er an unterschiedlichen Orten und zu unterschiedlichen Zeiten aufgenommen hatte, zu parteilichen Botschaften montierte. Zu seinen wichtigsten Filmen zählt »Der Mann mit der Kamera« (1929), ein Feuerwerk aus Montage- und Trickeffekten. Vertov machte die Kamera selbst zum Protagonisten und deckte die feinen Unterschiede zwischen Wirklichkeit und gefilmter Wirklichkeit auf.

Von der »Montage der Attraktionen« zur »intellektuellen Montage«

Zu den bedeutendsten Vertretern des Kreises zählen neben dem Dokumentarfilmer Dziga Vertov die Spielfilmregisseure Sergej M. Eisenstein und Vsevolod Pudovkin. Sie zeigten in ihren Filmen die vielfältigen Möglichkeiten der Filmmontage auf und stehen innerhalb der Montage-Bewegung für zwei gegensätzliche Richtungen.

Eisenstein propagierte zunächst die »Montage der Attraktionen« und die »Kollisionsmontage«, eine schnelle Aufeinanderfolge emotional stark aufgeladener Bilder, die in schockierender Weise miteinander kollidieren und so den Zuschauer wachrütteln und zu neuen Erkenntnissen führen sollten. In der Schlußsequenz seines ersten Films »Streik« (1924) schnitt er Bilder von der Ermordung der Streikenden gegen blutige Einstellungen aus einem Schlachthaus. Der Film erfuhr international Beachtung und brachte Eisenstein den Auftrag

In der berühmten »Treppensequenz« aus »Panzerkreuzer Potemkin« metzeln zaristische Soldaten friedliche Demonstranten auf der Freitreppe von Odessa nieder. Eisenstein hebt mittels einer rhythmischen und kontrastierenden Montage die moralische Überlegenheit des Volkes hervor. Die Zaristen marschieren die Treppe herunter, während das Volk mit revolutionärem Elan hinaufstrebt. Die unvermeidliche Kollision kulminiert in schnellen Schnitten zwischen den brutalen Gesichtern und Stiefeln der Uniformierten und Bildern der individuellen Not von verletzten und gemordeten Müttern und Kindern.

ein, einen Film zum 20. Jahrestag der Revolution von 1905 zu drehen.

In »Panzerkreuzer Potemkin« (1925) entwickelte Eisenstein seine Montagetechniken weiter, z. B. die »rhythmisierende Montage«: In immer schnelleren Schnitten zeigte Eisenstein wechselnde Großaufnahmen aus dem rotierenden Räderwerk des Panzerkreuzers und schuf damit eine eindringliche Metapher für den sozialistischen Fortschritt.

Auch Vsevolod Pudovkin (1893–1953) wußte diese »intellektuelle Montage«, d. h. die argumentative Komposition von Filmbildern, einzusetzen. In seinem historischen Drama »Das Ende von St. Petersburg« (1927) kontrastierte er Bilder von hektisch spekulierenden Börsenmaklern mit Schreckensbildern aus dem Schützengraben. Der anschließende Insert-Titel »Wofür sterben wir?« ist nur noch eine rhetorische Frage, die durch die vorangegangene Montage bereits beantwortet scheint. Insgesamt stehen Pudovkins Filme dem klassischen Erzählkino à la Hollywood, das auch beim russischen Publikum äußerst beliebt war, viel näher als die unkonventionellen Experimente Eisensteins. Ein Vergleich von »Die Mutter« (1926), dem überaus erfolgreichen ersten Spielfilm Pudovkins, und »Panzerkreuzer Potemkin« zeigt die Gegensätze der beiden wichtigsten Revolutionsfilmer auf. Pudovkins geradlinig erzählter Film basiert auf einer erfundenen Fabel und zeigt psychologisch konzipierte Charakterhelden, die von prominenten Schauspielern des Landes dargestellt wurden. Eisenstein erzählte die Geschichte des Aufstandes von Odessa in Form einer rhythmischen Bilderkollage, machte die Masse zum Helden und ließ die auf Typen reduzierten Figuren von Laien darstellen. Die Montage diente Pudovkin zur Veranschaulichung von Gefühlen und zielte eher auf die Emotionen der Zuschauer als darauf, zum Denken zu provozieren: Die Bilder von protestierenden Fabrikarbeitern alternieren mit Sonnenstrahlen, die Wolkenwände einreißen, und aufbrechenden Eisschollen und ergänzen sich zur Methapher revolutionärer Hoffnung. Der Experimentierfreude der sowjetischen Avantgarde wurde schließlich vom stalinistischen Totalitarismus ausgebremst. Ende der 20er Jahre nahm die Parteiführung zunehmend Anstoß am Formalismus der Filme und drängte statt dessen auf die Umsetzung der Doktrin des sozialistischen Realismus, die das sowjetische Kino in eine künstlerische Sackgasse führte. Filme sollten entweder leichte Unterhaltung bieten oder Ansporn zum sozialistischen Aufbau sein.

Zeitgenössische Kunstströmungen, die den Avantgarde-Film beeinflußten:

Impressionismus (ab 1870): Französische Kunstrichtung, deren Vertreter sich ausschließlich für die zufälligen und augenblicklichen äußeren Erscheinungsformen der Welt interessierten. Licht, Atmosphäre, Bewegung und sich auflösende Konturen bilden die spezifischen Gestaltungselemente.

Expressionismus (ab 1905): Expressionistischen Künstlern ging es um die Sichtbarmachung des seelischen Ausdrucks. Ihre Bilder zeigen häufig eine düstere Grundstimmung, in der sich das von Zweifeln geprägte Menschenbild der Epoche spiegelt. Spezifische Gestaltungsmittel sind elementare reduzierte Formen in verzerrten Proportionen und eine freie, teilweise aggressive Farbgebung.

Kubismus (ab 1900): Kunstrichtung, die die dargestellten Gegenstände auf geometrische Figuren zurückführt und in ihrer Dreidimensionalität zeigt, d. h. in die Facetten verschiedener Ansichten zerlegt und nebeneinander auffächert. Der Kubismus entfernte sich immer weiter von konkreter Gegenständlichkeit und bereitete die abstrakte Malerei des 20. Jahrhunderts vor.

Futurismus (ab 1909): Zentrales Anliegen der italienischen Kunstströmung war es, den Geist der modernen technischen Welt in der visuellen Vergegenwärtigung von Bewegung auszudrücken. Typische Motive sind Menschen, die sich in gegensätzliche Richtungen bewegen, galoppierende Pferde, stampfende Maschinen oder Autos, die mit hoher Geschwindigkeit fahren. Die Beweglichkeit wird durch Wiederholung der Gegenstände und abstrakte Linien vorgetäuscht.

Dadaismus (ab 1916): Unter dem Eindruck der Schrecken des Ersten Weltkriegs stellten die Dadaisten alle ästhetischen und inhaltlichen Gestaltungsregeln grundsätzlich in Frage und montierten ihre provokante Antikunst nach dem Zufallsprinzip. So entstanden Lautgedichte ohne Sinn, Geräuschkonzerte, Bild- und Materialkollagen.

Surrealismus (ab 1920): Ziel der surrealistischen Künstler war die Verbindung der realen Welt und der Welt des Traums in einer Überwirklichkeit, die andere Bewußtseinsebenen aufdeckt und visionär deutet. Die veristische Richtung zeigt realistische Objekte in vollkommen absurden Zusammenhängen, der absolute Surrealismus wählt eine abstrakte Behandlung der Themen um Traum und Unterbewußtsein.

Konstruktivismus: Der Konstruktivismus war 1917–21 die offizielle Kunstrichtung der Russischen Revolution. Entscheidende Gestaltungsprinzipien sind klare, eindeutig bestimmte, meist jedoch ungegenständliche Formen, in deren übersichtlichem, konstruktivem Aufbau sich die vom Menschen gemachte, ganz und gar sinnvoll durchgeformte Welt spiegeln soll.

Art-Déco (1920–1940): Kunstgewerbliche Stilrichtung, deren strenge Dekorationsformen als »Maschinenästhetik« die Welt der industriellen Fertigungsprozesse reflektiert.

Die Wirtschaftskrise verändert die Welt

Am 25. Oktober 1929, dem »Schwarzen Freitag«, markierte der New Yorker Börsenkrach den Beginn der Weltwirtschaftskrise. Ein ganzes Jahrzehnt beherrschte die Depression das gesellschaftliche Klima und die Politik. Sie kostete Millionen von Menschen ihren Arbeitsplatz, Banken brachen zusammen, und die internationale Produktivität sank um über 50 %, während die Inflation die Kaufkraft und damit den Handel schwächte. Als Folge dieses wirtschaftlichen Niedergangs wuchs auf der ganzen Welt die Kluft zwischen Arm und Reich, und die sozialen Konflikte verschärften sich. In Frankreich und Spanien übernahmen in den 30er Jahren kurzfristig linke Volksfrontbündnisse die Regierung und führten umfassende soziale Reformen durch; in Amerika leitete der neugewählte demokratische Präsident Franklin D. Roosevelt mit dem »New Deal« (wörtl.: »Neuverteilung der Spielkarten«) eine Phase der Liberalisierung und die Wende zum Prinzip des Sozialstaats ein.

Gleichzeitig breitete sich der Faschismus aus. Lange bevor der faschistische General Franco 1939 als Sieger aus dem spanischen Bürgerkrieg hervorging, hatte bereits Mussolini 1922 in Italien die Macht ergriffen, und seit Beginn der 30er Jahre tendierte die japanische Regierung mit ihrer zunehmend imperialistischen Politik entschieden nach rechts. Die politische Polarisierung beendete auch in Deutschland die kurze Blüte der Demokratie und brachte Hitler und die Nationalsozialisten an die Macht, die die Welt schließlich in die Katastrophe des Zweiten Weltkriegs stürzten.

Der Siegeszug des Tonfilms

Die Filmwirtschaft wurde von der Weltwirtschaftskrise zunächst vergleichsweise wenig in Mitleidenschaft gezogen. Das Kino bot den Menschen die erschwinglichste und harmloseste Form von Ablenkung. Die Ende der 20er Jahre stark expandierenden und deshalb hoch verschuldeten Warner Brothers hatten 1927 mit dem ersten Tonfilm »Der Jazz-Sänger« eine Sensation auf den Markt geworfen, die das Publikum begeisterte und große Gewinne einfuhr. Die anderen Studios zogen zwangsläufig nach. 1929 hatten sich bereits über die Hälfte der ca. 20 500 amerikanischen Kinos auf die Tonfilmvorführung umgestellt, und die Neuheit begann sich auch in den europäischen Hauptstädten durchzusetzen.

Es mag verwundern, daß der Film 30 Jahre alt werden mußte, bevor er sprechen lernte, zumal die Erfindung des Phonographen dem des Kinetographen vorausgegangen war. Die Versuche, die laufenden Bilder zum Tönen zu bringen, sind schließlich so alt wie der Film selbst. Der Stummfilm wurde von Anfang an von Kommentatoren, Harmoniumspielern oder ganzen Orchestern begleitet. Viele Kinos verfügten sogar über eine Grundausstattung an Geräuschmaschinen, die während des Films ›live‹ bedient wurden. Bereits um die Jahrhundertwende hatte man versucht, die Attraktivität der ›lebenden Bilder‹ durch mechanisierte Tonwiedergabe zu steigern. Zwischen 1904 und 1913 fanden Aufführungen, in denen das Filmbild mechanisch mit einem Grammophonton verbunden wurde, ein interessiertes Publikum. Die Synchronisation ließ freilich zu wünschen übrig, und da man außerdem maximal fünf Minuten Ton auf eine Platte bannen und mit dem Grammophon nur kleine Kinos beschallen konnte, verschwanden diese frühen Tonbilder mit der Einführung des Langfilms und der großen Kinopaläste wieder von der Leinwand.

Das Vitaphonsystem der Warner Brothers, das dem Tonfilm schließlich zum Durchbruch verhalf, arbeitete im Prinzip immer noch mit dem Nadeltonverfahren, verbessert allerdings durch eine elektromagnetische Vorrichtung, die den Ton von der Platte abtastete. Bald ver-

Programmzettel Phono-Cinéma-Théâtre, um 1900; angekündigt werden »sprechende« Filme u. a. mit dem Theaterstar Sarah Bernhardt.

1926 erscheint mit »Don Juan« der erste Film mit Musikbegleitung im Vitaphonverfahren; gesprochen wurde darin jedoch noch nicht.

1941
Bombardierung von Pearl Harbor führt zum Kriegseintritt der USA.
1942
Einrichtung von »Vernichtungslagern« in Auschwitz, Maidanek, Bergen-Belsen u. a.
1944
Otto Hahn erhält den Nobelpreis für Uranspaltung durch Neutronen.

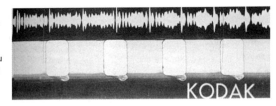

Die Lichttonspur übersetzt Tonhöhe und Lautstärke in regelmäßige Lichtmuster. Das vorführtechnisch leichter zu handhabende Verfahren setzte sich sehr schnell gegen den Nadelton durch. Seit den 50er Jahren arbeitete man parallel auch mit Magnettonspuren, die für eine erheblich bessere Tonqualität sorgten, dafür jedoch störanfälliger waren. Inzwischen hat man die Wiedergabequalität des Lichttons optimieren können, so daß kaum noch Magnettonkopien hergestellt werden.

drängte jedoch der in Deutschland entwickelte Lichtton alle anderen Filmtonsysteme vom Markt. Für dieses Verfahren wird der Ton auf elektrischem Wege in Helligkeitsschwankungen umgewandelt und als eigene Lichttonspur direkt auf den Filmstreifen kopiert. Die bisher mangelhafte Synchronität von Ton und Bild konnte nun nicht einmal mehr durch einen Filmriß gestört werden.

Umstellungsschwierigkeiten

Die späte und schleppende Umstellung auf den Tonfilm läßt sich vor allem mit wirtschaftlichen Vorbehalten der Studios erklären. Die notwendige Umrüstung der Studios und Kinos war mit hohen Kosten verbunden, die während der Konjunkturkrise nur begrenzt auf die Eintrittspreise umgelegt werden konnten. Man befürchtete zu Recht, daß aufwendig aufgebaute Stummfilmstars, die nicht ordentlich sprechen und singen konnten, ihre Kassenwirksamkeit einbüßen würden. Und schließlich ließen sich Tonfilme natürlich schlechter international vermarkten als die Stummfilme mit ihren leicht austauschbaren Zwischentiteln.

»Wait a minute! Wait a minute! You ain't heard nothing yet«, sind die ersten zwei Dialogzeilen, die in einem Tonfilm gesprochen wurden. Sie rissen das Publikum zu spontanen Beifallskundgebungen hin. »Der Jazz-Sänger«, ein noch nicht vollständig synchronisierter Film, beendete die Stummfilmzeit. Der erste ›hunderprozentige Sprechfilm‹ war »Lichter von New York« (1928).

Tatsächlich schuf die Umstellung auf den Tonfilm den ins Hintertreffen geratenen europäischen Filmproduzenten genügend Spielraum, um ihre Filmwirtschaft wieder aufzubauen und kurzfristig eine gewisse Unabhängigkeit zu erreichen. Die Engländer etwa, deren Markt bereits seit 1916 fest, d. h. zu 95 %, in amerikanischer Hand gewesen war, drehten 1936 selbst wieder 225 Filme und waren damit der zweitgrößte Anbieter auf dem internationalen Markt. Dieser enorme Sprung gelang auch durch die Ein-

führung einer Quoten-
regelung für heimische
Produktionen und wurde
unterstützt durch den
Aufbau eines Produk-
tionssystems nach dem
Vorbild der Hollywood-
studios.

Diese hingegen waren
inzwischen von den Fol-
gen der Weltwirtschafts-
krise eingeholt worden und durch die Umstellung
fast ausnahmslos in finanzielle Schwierigkeiten gera-
ten. Konkurse und Fusionen veränderten den Markt.
Schließlich gelang es fünf neuen Großstudios, den
sogenannten ›Majors‹ – Paramount, MGM, Warner
Bros., Twentieth Century Fox, RKO – und drei kleinen, den ›Minors‹ – Universal, Columbia, United
Artists –, beinahe die gesamte Produktion, den Verleih und diverse Filmtheaterketten unter ihre Kontrolle zu bringen. Die Marktführer liehen sich gegenseitig
künstlerisches und technisches Personal aus und teil-
ten den US-Markt unter sich auf. Mit solch hervorra-
gender Kooperation verdrängte das neue Kartell unabhängige Firmen erfolgreich vom Markt und konnte
fortan eine Monopolstellung im Filmgeschäft behaupten.

Chaplin war der einzige, der es sich leisten konn-
te, noch 1936 einen Film fast ohne Sprache zu drehen. Der kleine Tramp, der in »Moderne Zeiten« übrigens zum letzten Mal erscheint, mimt zwar einen singen-
den Kellner, der Text besteht jedoch nur aus Nonsens-Worten. Die gesellschaftskritische Satire geißelt übertriebe-
ne Rationalisierung im Industriezeitalter und die zunehmende Mechani-
sierung des Lebens.

Die künstlerische Her-ausforderung

Angesichts der großen
wirtschaftlichen Probleme
im Umfeld der Einfüh-
rung des Tonfilms spielten
ästhetische Einwände
gegen die neue Technik
allenfalls eine sekundäre
Rolle. Einige Filmemacher
prophezeiten freilich den
Niedergang der im

Norma Talmadge (1897–1957) war neben John Gilbert, der wegen seiner feminin hohen Stim-
me verlacht wurde, eines der berühmtesten Opfer des Tonfilms. Nach zahlreichen erfolgreichen Stummfilmen enthüllte ihr erster Auf-
tritt im Tonfilm »DuBarry – Women of Passion« die Tatsache, daß sie nur Slang sprechen konnte, und beendete ihre Karriere abrupt.

Damit auch Tonfilme auf dem internationalen Markt verkauft werden konnten, wurden viele Filme gleich mehrfach, d. h. mit deutschen, englischen und französischen Schauspielern gedreht, wie zum Beispiel der für England und Deutschland produzierte Katastrophenfilm »Atlantic« (1929). Heute werden nur noch selten mehrere Versionen gedreht, üblich sind statt dessen Untertitelung und fremdsprachige Nachsynchronisation.

Stummfilm hoch entwickelten Filmkunst.

Zunächst brachte der Tonfilm nämlich ganz konkrete Einschränkungen für Kameraleute und Schauspieler. Die komplizierte Tonfilmtechnik band die so beweglich gewordene Kamera wieder an einen festen Ort, und auch die Darsteller durften sich nicht zu weit von den Mikrophonen entfernen. Statt an Originalschauplätzen konnte nun nur noch in Studios gedreht werden. Man befürchtete zudem, daß die durchgestaltete Bildwelt und der Assoziationsreichtum des stummen Mediums durch den Ton verdoppelt und damit überflüssig gemacht würde.

Der Filmtheoretiker Rudolf Arnheim vertrat in seinem Aufsatz »Film als Kunst« (1932) die Auffassung, daß die gestalterische Freiheit, die den Film zur Kunst mache, gerade in seinen Begrenzungen liege. Kunst, so postulierte Arnheim, enstehe ausschließlich durch die Abweichung des Werks von Realität. Da der Ton den Film der Realität annähere, beklagte er die »Strangulierung einer schönen, hoffnungsvollen Kunst«.

Experimentierfreudige Regisseure machten sich trotzdem sofort daran, die neuen künstlerischen Möglichkeiten, die der Tonfilm mit sich brachte, auszuloten. Die russischen Revolutionsfilmer begrüßten den Ton als zusätzliches Gestaltungsmittel für ihre dialektischen Montage-Kunstwerke und einen Ausweg aus den akuten Engpässen des Mediums. Sie plädierten für einen kontrapunktischen Einsatz des Tons. Geräusche und Dialoge könnten, so schlugen Pudovkin und Eisenstein in ihrem legendären »Manifest zum Tonfilm« vor, in widersprüchliche oder gar asynchrone Beziehung zu den visuellen Montagebestandteilen treten.

Nachdem die ersten technischen Probleme des Tonfilms bewältigt waren, die Mikrophone an lange Schwenkarme montiert und die inzwischen schallisolierte Kamera wieder beweglicher wurde, erkannten auch die Skeptiker, daß innovativ eingesetzter Ton die Filmkunst nur bereichern konnte. Der *off-screen*-Ton, dessen Quelle im Bild nicht zu sehen ist, schafft z. B. realistische Atmosphäre und vermittelt Informationen, die weit über den Bildinhalt hinausgehen; der Gebrauch von Tonschnitt, -mischung und Nachsynchronisation half, die Beschränkungen, die der Ton zunächst auferlegt hatte, zu überwinden.

Film und Wirklichkeit

Die ästhetischen Veränderungen, die der Tonfilm mit sich brachte, waren, verglichen mit den technischen und organisatorischen, weniger gravierend. Die wichtigsten Stilmittel wie Montage, Kamerabewegung, Mise-en-scène, Tricktechnik und auch die typische Spannungsdramaturgie des klassischen Hollywoodkinos fanden sich bereits in den großen Stummfilmen und gehörten nach einer kurzen Phase, in der die Tonfilmer sich damit begnügten, sprechende Schauspieler abzubilden, wieder zu den bestimmenden gestalterischen Mitteln.

Durch den Ton wurde der Film vor allem naturalistischer. Die Realitätsillusion der laufenden und tönenden Bilder übertraf nun bei weitem die jeden anderen Mediums. Möglicherweise ist diese große Ähnlichkeit zwischen Film- und Wirklichkeitswahrnehmung der Grund für die außerordentliche Popularität des Kinos, wie der Filmsemiotiker Christian Metz 1972 zu erklären versuchte. Die Kinoindustrie verlegte sich jedenfalls spätestens mit der Erfindung des Tonfilms fast ausschließlich auf die Produktion naturalistisch-narrativer Filme (mit Ausnahme freilich der Zeichentrickfilme). Abstrakter Film und Experimentalfilm, wie sie noch während der 20er Jahre durchaus auch von kommerziell ausgerichteten Produzenten gefördert wurden, entstanden fortan nur noch als Gegenbewegung

1928 produzierte Walt Disney (1901–66) mit »Dampfschiff Willy« den ersten Tontrickfilm der Filmgeschichte. Held ist der im selben Jahr von Ub Iwerks für Disney entwickelte Mickey Mouse, der sich tapfer durchs Leben boxt und so hart ist, wie die Zuschauer es hätten sein müssen, um mit der allgemeinen Krise fertigzuwerden. Disney selbst lieh der Figur, der er seine führende Position im Zeichentrickfilm verdankte, die Stimme.

Auch im Farbfilm hatte Disney die Nase vorn. Bereits 1932 ebnete er mit »Blumen und Bäume« aus der »Silly-Symphonies«-Serie den Weg für das dreifarbige Technicolorsystem.

zu den Produkten der Filmindustrie oder bestenfalls an deren Rande.

Doch obwohl der Film nun fast immer realistisch aussieht, definiert sich filmischer Realismus erst in Abgrenzung zu den eskapistischen Produkten der ›Traumfabrik‹. Realistischer Film will sich mit dem wirklichen Leben seiner Zuschauer beschäftigen, es nicht nur abbilden, sondern auch kritisch hinterfragen. Inspiriert von den neuen Möglichkeiten des Tonfilms und unter dem Eindruck wachsender sozialer Spannungen wandten sich in den 30er Jahren eine Reihe von Filmkünstlern realistischen, d. h. sozial-, gesellschaftlich- und zeitkritischen Stoffen zu.

Deutscher Film vor 1933

Fritz Lang setzte in seinem ersten Tonfilm »M« (ursprünglich »Mörder unter uns«, 1931) Geräusche, Musik und Stimmen zum Ausdruck der subjektiven Wahrnehmung des Protagonisten, gespielt von Peter Lorre, virtuos ein.

Den Alltag kleiner Angestellter und sozial ins Abseits geratener Menschen hatten die deutschen Regisseure der »Neuen Sachlichkeit« bereits in Stummfilmen ins Blickfeld gerückt: allen voran Robert Siodmaks »Menschen am Sonntag« (1930), Murnaus »Der letzte Mann« (1924) oder Georg Wilhelm Pabsts »Die freudlose Gasse« (1925). Dieser sozialkritische Trend nahm zu Beginn der 30er Jahre politische Züge an, so in Pabsts Antikriegsfilm »Westfront 1918« (1930), aber

auch in Fritz Langs Krimi »M« (1931), der mit der nahegelegten Gleichsetzung von Polizei und Verbrechertrust, die gemeinsam einen Kindermörder stellen, die politische Wirklichkeit des Nazi-Terrors vorwegnahm.

Ihren Höhepunkt findet die Politisierung in den von Gewerkschaften

und Arbeiterparteien der Weimarer Republik geförderten »proletarischen Filmen«. »Kuhle Wampe oder: Wem gehört die Welt?« (1932), zu dem Bertolt Brecht das Drehbuch und Hanns Eisler die Musik schrieb, schildert am Beispiel einer Berliner Arbeiterfamilie die Auswirkungen der Massenarbeitslosigkeit und macht u. a. die sozialdemokratische Politik für das Elend verantwortlich. Sozialkritische und politische Filme machten freilich mit 3,5 % nur einen Bruchteil der nationalen Produktion aus. Sie wurden dennoch mit großer Aufmerksamkeit bedacht, heftig kritisiert, zensiert und spätestens bei der Machtübernahme der Nationalsozialisten verboten. Eine große Zahl von Filmkünstlern emigrierte: Fritz Lang, Max Ophüls, Reinhold Schünzel, Robert Siodmak, Billy Wilder, Detlef Sierck (Douglas Sirk), Peter Lorre, Asta Nielsen und Elisabeth Bergner, um nur einige Namen zu nennen.

Die Poesie der Wirklichkeit

In Frankreich kurbelte die Nachfrage nach französischsprachigen Tonfilmen in den 30er Jahren auch die Produktion kleinerer Firmen an, die bereit waren, jungen Regisseuren ein unabhängiges künstlerisches Arbeiten zu ermöglichen. Als Ergebnis solcher Freiheit entstanden eine Reihe von realistischen Filmkunstwerken, die in einer einzigartigen Weise zugleich politisch engagiert und künstlerisch kreativ sind. Dem ›poetischen Realismus‹ lassen sich Filme unterschiedlicher Genres zuordnen – Melodramen, Kriminalfilme, Abenteuerfilme, Literaturverfilmungen und Gesellschaftssatiren –, deren Gemeinsamkeiten in sozialem Engagement, der genauen Milieuzeich-

Josef von Sternbergs (1894–1969) »Der Blaue Engel« machte die 1930 noch völlig unbekannte Marlene Dietrich (1901–92) über Nacht zum Weltstar. Berühmt ist die Verfilmung von Heinrich Manns Gesellschaftssatire »Professor Unrat« aber auch für den geschickten Einsatz von Off-Tönen. Sie ergänzen sich mit eindrucksvollen Bildkompositionen, detailreichen und milieuechten Dekorationen zu einer eindringlich realistischen Atmosphäre.

Während das Publikum den Tonfilm begeistert aufnahm, warnten Künstler – vor allem Musiker, die nun arbeitslos wurden – in groß angelegten Kampagnen vor den »Gefahren des Tonfilms«.

René Clairs früher Tonfilm »Unter den Dächern von Paris« (1930) ist ein Beispiel für innovativen und dem Medium adäquaten Toneinsatz. Der Dialog ist auf das Notwendige reduziert, so daß Raum für bildlichen Ausdruck bleibt; Ton und Bild werden so zueinander in Beziehung gesetzt, daß sie sich nicht verdoppeln, sondern ergänzen.

»Der Tag bricht an« (1939) erzählt die Geschichte eines Mörders aus Liebe (Jean Gabin), der eine Nacht in seinem von der Polizei umstellten Hotelzimmer ausharrt und in Rückblenden die Vorgeschichte des Verbrechens Revue passieren läßt. Marcel Carné (1909–96) lieferte mit dieser Mischung aus Stilisierung und Naturalismus, aus Melodrama und Sozialkritik ein typisches Beispiel für den Stil des ›Poetischen Realismus‹.

nung und differenzierten Charakterdarstellung auszumachen sind.

Die fatalistischen Geschichten drehen sich häufig um Figuren im sozialen Abseits, die kurzzeitig Glück und Liebe erleben, schließlich aber wieder enttäuscht werden. Neben den Regisseuren Jean Vigo, Marcel Pagnol, Julien Duvivier und Marcel Carné ist vor allem Jean Renoir (1894–1979) hervorzuheben, dessen Filme aus diesen Jahren das internationale Kino beeinflußten wie ansonsten nur Produktionen aus Hollywood. Der Sohn des impressionistischen Malers Auguste Renoir zeigte der Welt, was realistische Filmkunst ausmacht, und erkundete alle filmsprachlichen Möglichkeiten, die ihm Kamerabewegung, die Nutzung natürlicher Licht- und originaler Tonquellen sowie die Einbeziehung der Landschaft boten. Vor allem aber entdeckte er, noch vor Orson Welles, die Schärfentiefe. Die Nutzung von Objektiven mit großer Schärfentiefe machte es möglich, Dinge, die sich in einer räumlichen Distanz zueinander befinden, gleich scharf abzubilden. Der Fluchtpunkt, auf den alles im Bild zuläuft, schafft Zusammenhänge zwischen allen Bildteilen und gibt auch den kleinsten Details Bedeutung.

Mit den Mitteln von Schärfentiefe und beweglicher Kamera kreierte Renoir eine neue Filmsprache: Statt einzelne Vorgänge in verschiedenen Einstellungen nacheinander zu zeigen, kann er sie in einer ›inneren Montage‹ miteinander verbinden. Die langen Einstellungen, in denen er nun vollständige Handlungssegmente inszenieren konnte, ohne zu schneiden, nennt man Plansequenz.

Renoirs Filme der 30er Jahre erregten seine Zeitgenossen jedoch weniger wegen der neuen filmsprachlichen Mittel. Sie waren inhaltlich unbequem, rührten mit ihrer Zeitkritik und bitterer Skepsis an Dinge, von denen die Gesellschaft im Vorkriegsfrankreich nichts hören wollte. In seinem Meisterwerk »Die Spielregel« (1939) entlarvte Renoir die Werte, an denen sich die Gesellschaft orientierte, indem er Herren- und Dienerwelt gleichsetzte. Der Film, eine irritierende Mischung aus Melodrama und Farce, wurde wenige Wochen nach seiner Erstaufführung als »demoralisierend« verboten.

Diese Einstellung aus »Toni« (1934) zeigt ein typisches Beispiel für Renoirs Gebrauch der Schärfentiefe. Die nüchterne Studie ist im Landarbeitermilieu angesiedelt und antizipiert mit ihren naturalistischen Aufnahmen an Originalschauplätzen die Ästhetik des italienischen Neorealismus.

Die englische Dokumentarfilmschule

In England nutzten Dokumentaristen die neuen Möglichkeiten realistischer Filmgestaltung. Der Regisseur und Produzent John Grierson (1898–1972) versammelte eine Gruppe junger Dokumentarfilmer um sich, die ihren Mitbürgern die verschiedenen Kulturen des Empire, vor allem aber den Alltag der einfachen Bauern, Fischer, Berg- und Industriearbeiter nahebringen wollten. Überzeugt vom erzieherischen Nutzen des Dokumentarfilms für die öffentliche Bildung und Meinungsbildung, gelang es ihm, zunächst staatliche Institutionen, später auch Sponsoren aus der Wirtschaft für die Projekte seiner Gruppe zu gewinnen.

Die politisch engagierten Filmer begnügten sich nicht damit, das Leben im Empire abzubilden. In

Einer der populärsten Filme der britischen Dokumentarfilmer war »Nachtpost« (1936). Er zeigt die alltägliche Reise des Nachtzugs von London nach Glasgow, unterlegt mit Musik von Benjamin Britten und einem poetischen Off-Kommentar des Dichters Wystan Hugh Auden.

Das Leben in Londoner Hinterhöfen der 30er Jahre zeigt »Genug zu essen?« (1936).

Filmen wie »Wohnungsprobleme« (1935) oder »Schiffswerft« (1937) wiesen sie auch auf soziale Probleme hin. Mit Rücksicht auf ihre Geldgeber hielt sich die Kritik jedoch in gemäßigtem Rahmen. Die Dokumentarfilmer entwickelten, beeinfußt vom Sowjetischen Revolutionsfilm, rhythmische Montagetechniken und übernahmen Inszenierungsmethoden vom Spielfilm. Besonders kreativ zeigten sie sich im kombinierten Einsatz von Geräuschen, Musik und gesprochenem Kommentar.

Das klassische Hollywoodkino

Dem politischen und sozialkritischen Kino europäischer Herkunft sind die ästhetisch innovativsten Filme der frühen Tonfilmzeit zu verdanken. Die weltweit erfolgreichsten stammten freilich aus amerikanischer Produktion. Es war die große Ära des klassischen Hollywoodkinos: Zahlreiche neue Genres entstanden, und Hollywood entwickelte sich zur ›Traumfabrik‹, deren spannende, heitere und verschwenderisch schöne Produkte den Menschen eine kurzzeitige Flucht aus ihrer deprimierenden Alltagsrealität erlaubten. Beinahe alle Genres reproduzierten den Mythos vom Land der unbegrenzten Möglichkeiten und beschworen in unendlichen Variationen den »amerikanischen Traum« einer großen Karriere ›vom Tellerwäscher zum Millionär‹.

Das Epos »Vom Winde verweht« (Regie: Victor Flemming, 1939) wurde zur Quintessenz dessen, was im kollektiven Bewußtsein das große Hollywoodkino ausmachte. Der bis dahin teuerste Ausstattungsfilm überragte auch farbtechnisch die wenigen bisher im dreifarbigen Technicolorverfahren gedrehten Filme. Die Tragödie von der Unerreichbarkeit individuellen Glücks in schweren Zeiten gilt als meistgesehener Kinofilm aller Zeiten und heimste acht Oscars ein.

In new screen splendor...
The most magnificent picture ever!

DAVID O. SELZNICK'S PRODUCTION OF MARGARET MITCHELL'S

"GONE WITH THE WIND"

CLARK GABLE
VIVIEN LEIGH
LESLIE HOWARD OLIVIA de HAVILLAND

A SELZNICK INTERNATIONAL PICTURE · VICTOR FLEMING · SIDNEY HOWARD · METRO-GOLDWYN-MAYER INC.

Film als Tagtraum: Musicals

Der Tonfilm brachte besonders ein Genre ganz an die Spitze des wirklichkeitsfernen Filmentertainments. Was lag nach der begeisterten Aufnahme des »Jazz-Sängers« näher, als nach dem Vorbild der überaus populären Broadwayrevuen das ganze Spektrum tönender Kunst zu nutzen und »all-singing, all-dancing, all-talking films« auf die Leinwand zu bringen?

»Broadway Melody« (1929), das erste Filmmusical, erzählt neben der Aneinanderreihung von Revuenummern auch die *backstage story*, eine fiktive Geschichte ihrer Entstehung. Solch werbewirksame Mystifizierung des Showmilieus bildete von nun an den häufig gewählten Rahmen für das neue Genre, das wie eine Bombe einschlug: 1930 wurden in Hollywood nicht weniger als 70 Musicals gedreht.

Für die Warner Bros. choreographierte Busby Berkeley einige der aufwendigsten Filmrevuen der 30er Jahre. Er schien nicht nur seine Girls, sondern sogar seine Kamera zum Tanzen zu bringen: Er ließ sie kühn über ornamentale Arrangements leichtbekleideter Körper auf rotierenden Flächen schwenken oder aus gewagtem Blickwinkel an Hunderten von schwingenden Tanzbeinen entlanggleiten.

RKO kreierte unterdessen einen neuen Typus des romantischen Filmmusicals rund um das Traumpaar Fred Astaire und Ginger Rogers, in dem die widerstrebenden Einzelelemente Dialog, Gesang und Tanz nun auch zu der für das spätere Filmmusical typischen fließenden Handlungseinheit verbunden wurden. Die schlichten Lovestorys spielten in der Regel im Showmilieu und gaben den Helden reichlich Gelegenheit, ihre Empfindungen in gefühlvollen Songs und eleganten Tänzen auszudrücken. Ihre perfekte Harmonie machte unmißverständlich klar, daß die von ihnen verkörperten Figuren trotz anfänglicher Irritationen füreinander geschaffen waren.

Der Choreograph und Regisseur Busby Berkeley (1895–1976) erhob das Ensemble zum Protagonisten: Seine Tänzer fungierten lediglich als bewegliche Teile eines kaleidoskopartigen Musters: »Die 42. Straße« (Regie: Lloyd Bacon, 1933).

Fred Astaire und Ginger Rogers waren in den 30er Jahren das Traumpaar des amerikanischen Filmmusicals.

»Der kleine Cäsar« (1930) mit Edward G. Robinson in der Hauptrolle begründete den Erfolg des Gangsterfilms.

Die Kehrseite der Medaille: Gangsterfilm

Die Musicals spiegelten die Wirklichkeit der Depression, indem sie zeigten, wovon ihre Zuschauer nur träumten, und zugleich behaupteten, alle Krisen ließen sich meistern, wenn man nur fleißig singt, tanzt und fröhlich ist. Doch die bedrückende Realität der Depression ließ sich auch von Hollywood nicht fernhalten. Im Gegenteil: Das Genre des Gangsterfilms präsentierte den Mythos des »amerikanischen Traums« davon, daß auch Angehörige der unteren Schichten zu Macht und Geld gelangen können, in seiner Unterwelts-Variante.

Im Mittelpunkt stand die ›Karriere‹ eines kleinen Mannes, Kriegsheimkehrer oder arbeitsloser Junge aus den Slums, zum großen Gangsterboß. Detektive spielten im Gangsterfilm bestenfalls eine Nebenrolle. Es ging schließlich nicht um die Aufklärung von Verbrechen, sondern um die aufregende Schattenwirtschaft der Prohibitionszeit und die Machtkämpfe der Mafia, deren reale Vorbilder die Öffentlichkeit faszinierten. Es waren »Filme nach Zeitungsschlagzeilen«, wie ein Werbespruch der Warner Bros. versprach, die sich auf das Genre spezialisierten.

Erst der Tonfilm hatte es möglich gemacht, die Geschichten zwischen illegalen Spielkasinos, dunklen Lagerhallen, billigen Hotelzimmern und schwachbeleuchteten Gassen so beunruhigend realistisch in Szene zu setzen. Der klassische Gangsterfilm ist ohne quietschende Bremsen, ratternde Maschinenpistolen und den typischen witzigen Unterweltslang nicht denkbar. Das Publikum sympathisierte offen mit den brutalen, aber auch menschlich dargestellten Ver-

In »Die wilden Zwanziger« (1939) treten gleich beide großen Gangsterfilmstars der Warner Bros. auf: Humphrey Bogart und James Cagney. Der Film gilt als später Höhepunkt und Essenz des Genres.

brechern, zumal die Herstellung und der Schmuggel von Alkohol in den Augen der meisten nur ein legitimes Bedürfnis befriedigte.

Das brachte unweigerlich Frauenverbände und Kirchen auf den Plan, die sich vom Vorwurf der »Verherrlichung des Verbrechens« auch nicht durch den Hinweis auf das meist ruhmlose und gewaltsame Ende der portraitierten Gangsterbosse abbringen ließen. 1929 versuchte die Filmindustrie, mögliche Zensurmaßnahmen durch die Einführung einer freiwilligen Selbstkontrolle zuvorzukommen. Man erstellte eine Liste aus 11 »Don'ts« und 25 »Be Carefuls«, die die meisten Filmemacher mehr oder weniger zähneknirschend akzeptierten. Bei genauerem Hinsehen ging es dabei jedoch weniger um den Schutz von Demokratie oder Menschenrechten, sondern vielmehr darum, das Brechen von Tabus zu vermeiden, was zu öffentlichen Protesten konservativer Gruppen und damit zu Einnahmeverlusten hätte führen können. Der sogenannte »Production Code« brandmarkte nicht nur Flüche und französische Ehebetten, sondern auch »Rassenschande«, d. h. die Darstellung von Liebesbeziehungen zwischen Afro-Amerikanern und Weißen.

Als der »Production Code« um eine Liste von Verbrechen, die fortan nicht dargestellt werden durften, erweitert wurde und darüber hinaus davon abriet, Biographien historischer Gangster zu verfilmen, kam es zu einigen Verschiebungen im Genre. Die Stars des Gangsterfilms, James Cagney, Edward G. Robinson und Humphrey Bogart, wurden nun als Detektive besetzt, die freilich oft

Schwere Konflikte mit der Zensur bekam »Narbengesicht« (1932), Howard Hawks' fiktive Al-Capone-Biographie. Dieser Gangsterfilm enthielt mehr Schießereien, Zerstörung, Grausamkeiten und Morde als jeder seiner Vorgänger.

Neben Gewaltdarstellungen bemühten sich die neuen Zensurinstanzen, jegliche Erotik aus dem Kino zu verbannen. Mae West, deren berühmte erotische Zweideutigkeiten wie »Come up and see me sometime« zu geflügelten Worten wurden, war eines der Lieblingsopfer der 1934 gegründeten katholischen »Legion of Decency«.

Citizen Kane (1941)

Als ein Höhepunkt realistischer Filmkunst gilt Orson Welles' (1915–85) komplexes Charakterportrait eines Multimillionärs. Der Aufstieg und Fall Charles Foster Kanes zeigt die Schattenseiten des »amerikanischen Traums«. Wie weit, so scheint der Film zu fragen, ist es gekommen mit einer Demokratie, die einzelnen Bürgern und vor allem den Medien solche Macht einräumt? Seine filmhistorische Bedeutung verdankt »Citizen Kane« jedoch weniger der Story als der auffälligen Häufung filmsprachlicher Neuerungen. Der als Wunderkind gehandelte englische Schauspieler und Regisseur erfand selbst kaum etwas Neues, kombinierte jedoch auf originelle Weise alle bisher erprobten filmischen Ausdrucksmöglichkeiten. Seinem experimentierfreudigen Kameramann Gregg Toland verdankt er den Ruf, die Kameraführung revolutioniert zu haben. Welles erzählt die Geschichte in verschachtelter Rückblendentechnik aus der Sicht mehrerer Wegbegleiter Kanes. Er unterstreicht die Subjektivität der psychoanalytischen Erinnerungsarbeit durch rasche Perspektivwechsel und extreme Blickwinkel. Sein Einsatz von Weitwinkelobjektiven mit großer Schärfentiefe setzte neue Maßstäbe: In seinen ganze Szenen umfassenden Plansequenzen schuf er Bedeutung allein durch die Einbettung der Protagonisten in die Umgebung; Bildkomposition und Bewegung im Raum ersetzten die klassische Montagetechnik. Zahlreiche *special effects* und der innovative Einsatz des Tons machten den Film zu einem der meistbewunderten aller Zeiten.

Einer der progressivsten amerikanischen Filme seiner Zeit war John Fords »Früchte des Zorns« (1940) mit dem jungen Henry Fonda in einer Hauptrolle. Am Beispiel einer während der Depression verarmten Farmerfamilie kritisiert der Film schonungslos die Auswüchse des amerikanischen Kapitalismus und preist das Reformwerk der Roosevelt-Regierung.

under cover und mit ähnlichen Methoden wie die Verbrecher operierten.

Neben Gangsterfilmen, in deren Erfolg sich nicht zuletzt das Bedürfnis der Zuschauer spiegelte, die düstere Realität der Depression zu verarbeiten, entstanden eine Reihe von unmittelbar sozialkritischen und pazifistischen Filmen, die das politische Ideengut des Rooseveltschen »New Deal« propagierten. Einen flammenden Appell zur Abschaffung des unmenschlichen Systems der Strafkolonien filmte Mervyn LeRoy z. B. mit »Ich bin ein entflohener Kettensträfling« (1932), und der Musical-Experte Busby Berkeley wies 1939 in »Zum Verbrecher verurteilt« nachdrücklich auf die gesellschaftliche Mitschuld am Werdegang von Verbrechern hin.

Horrorfilm

Musical und Gangsterfilm blieben nicht die einzigen Genres, die erst mit dem Tonfilm populär wurden. Der Horrorfilm erlebte zwischen 1930 und 1933 eine bis heute unübertroffene Blüte. Dabei war das Genre nicht neu: Schon die deutschen Expressionisten hatten entdeckt, wie gerne sich ein Publikum mit Geschichten über etwas Fremdes, das unvorbereitet in eine scheinbar sichere und vertraute Welt einbricht, erschrecken läßt. Die Zutat des Tons konnte diese Wirkung nur noch steigern. Knarrende Stufen, quietschende Türangeln, heulende Eulen und kreischende Frauen, der Herzschlag des Opfers, des Keuchen des herannahenden Monsters erzeugen Bilder in der Vorstellung des Zuschauers, die, so erkannte man rasch, durch keine noch so effektvolle Maske oder düstere Dekoration übertroffen werden können.

Lichtscheue Vampire, Zombies, manische Zerstörer, künstliche Menschen und sonstige Unwesen, die den klassischen Horrorfilm bevölkern, brauchten mit der Einführung des Tons nur noch sparsam ins Bild gerückt zu werden. Sie blieben im Schatten – wie ihre wissenschaftlich unerklärbare Herkunft. Der phantastische Film rührt an Urängste der Menschen vor Unbekanntem und Übermächtigem und beschwört Gefahren, die die realen Nöte der Zuschauer vergleichsweise harmlos wirken lassen. Die unvermeidliche Wiederherstellung der Ordnung am Ende des klassischen Horrorfilms weist optimistisch in eine bessere Zukunft. Deshalb, so heißt es, boomt der phantastische Film besonders in schlechten Zeiten.

Nachdem bereits »Dracula« (1930) hysterische Reaktionen beim Publikum ausgelöst hatte, legte Universal sofort mit »Frankenstein« (1931) nach. Boris Karloffs (1887–1969) so furchterregende wie sensible Darstellung des künstlichen Menschen machten ihn zu einem Star des Genres und etablierten Universal als führenden Horrorfilmproduzenten.

Das Horrorgenre belebte die Entwicklung neuer Special Effects. Um bei der Verwandlung von »Dr. Jekyll und Mr. Hyde« (1931) Schnitte und Überblendungen zu vermeiden, bediente sich der experimentierfreudige Regisseur Rouben Mamoulian einer Reihe von Farbfiltern, die nacheinander verschiedenfarbige Maskenschichten sichtbar machten.

Einige der erfolgreichsten Screwball-Comedys stammen von dem unübertrefflichen Genre-Regisseur Howard Hawks (1896–1977). Zum Erfolg von »Leoparden küßt man nicht« (1938) trugen auch die Hauptdarsteller Katharine Hepburn und Cary Grant bei.

Screwball-Comedy

Die Screwball-Comedy wies dem Kinofreund der 30er Jahre einen eher heiteren Weg zur Wirklichkeitsflucht. Sie florierte zwischen 1934 und 1945, kam also erst auf, als die Wirtschaftskrise schon fast überwunden war. Vom Slapstick, der Komödienform der Stummfilmzeit, übernahm sie den schnellen Rhythmus und viele visuelle Gags. Als Quelle ihrer Komik sprudeln rasante Dialog-Duelle. Die exzentrischen Charaktere der Screwball-Comedy können ihre Partner kaum ausreden lassen, sie übertreffen sich gegenseitig an Wortwitz und Schlagfertigkeit.

Die realitätsfernen Storys sind vorzugsweise im Milieu hart an ihrem Vergnügen arbeitender Reicher angesiedelt, doch auch hier geht es, wie im Horrorfilm, um die Wiederherstellung von Ordnung. Konflikte erwachsen z. B. aus vertauschten Geschlechtsrollen. Entweder werden verzogene, widerspenstige Frauen oder schüchterne und weltabgewandte Männer nach allerlei Verwirrungen von vernünftigeren Partnern gezähmt.

Das Gegenstück zur eskapistischen Comedy schufen die Marx Brothers mit ihren anarchistischen Komödien. In Gesellschaftssatiren wie »Animal Crackers« (1930), »Die Marx Brothers im Krieg« (1933) oder »Skandal in der Oper« (1935) ging es vor allem um die absichtliche Unterminierung der Würde der bürgerlichen Welt und ihrer heiligen Kühe wie dem Kunstbetrieb, dem kriegerischen Heldentum oder der Oper.

Propaganda und Unterhaltung im Nazi-Kino

In Deutschland hatten die Nationalsozialisten direkt nach ihrer Machtübernahme 1933 oppositionelle Gruppen und Parteien ausgeschaltet und allmählich alle an der öffentlichen Meinungsbildung beteiligten Organe unter ihre Kontrolle gebracht, um sie ihrem Propagandasystem einzuverleiben. Die Betreuung des Films, dessen Wirksamkeit man besonders hoch einschätzte,

»Davon geht die Welt nicht unter« tröstete Zarah Leander ihr Publikum im Durchhalte-Film »Die große Liebe« (1942). Unterhaltung allein ist die beste Propaganda, glaubte Goebbels; deshalb boten die meisten Filme, die unter dem Nazi-Regime entstanden, spannende, lustige oder sentimentale Unterhaltung. Ohne direkte Propaganda warben diese Filme implizit für die Nazi-Ideologie von Herrenmenschen und Führernaturen oder boten optimistische Modelle für das private Überleben im Krieg an.

übernahm der Propagandaminister Joseph Goebbels höchstpersönlich. Der begeisterte Kinofan kannte die Vorlieben des Publikums gut genug, um zu wissen, daß man politische Ideen in der Maske scheinbar harmloser Unterhaltungsfilme am besten unters Volk bringen kann.

Der typische NS-Film bot Spannung, Spaß oder tragische Erbauung und integrierte geschickte Stimmungsmache für die Ziele der Nationalsozialisten. Beliebte Stars wie Hans Albers, Zarah Leander, Marika Rökk und Heinz Rühmann wirkten in ihren Filmen an der Propagierung neuer Herrschaftsstrukturen und Werte wie Gehorsam und Schicksalsergebenheit mit, halfen bei der Mobilmachung für die Eroberung der Welt und verströmten überschäumenden Optimismus, als es nur noch ums Durchhalten ging.

Der Anteil an ungeschminkten Propagandafilmen fiel indessen relativ gering aus. Nur zur Vorbereitung »außergewöhnlicher Maßnahmen« lancierte man gezielte Hetzkampagnen gegen die »Feinde des Reichs«. 1940 erschien z. B. Veit Harlans antisemitisches Machwerk »Jud Süß« – kurz nachdem Hitler erstmals öffentlich zur sogenannten »Endlösung des Judenpro-

Der Pseudodokumentarfilm »Der ewige Jude« (1940) übertraf sogar »Jud Süß« in seinen rassenhetzerischen Bestrebungen. Beide Filme wurden zur systematischen Vorbereitung des Völkermords Soldaten, der SS, der Polizei und der Bevölkerung dort gezeigt, die in der Nähe von Konzentrationslagern wohnten.

»Der Faschismus läuft folgegerecht auf eine Ästhetisierung des politischen Lebens hinaus. Der Vergewaltigung der Massen, die er im Kult eines Führers zu Boden zwingt, entspricht die Vergewaltigung einer Apparatur, die er der Herstellung von Kultwerten dienstbar macht. Alle Bemühungen um die Ästhetisierung der Politik gipfeln in einem Punkt. Dieser eine Punkt ist der Krieg.«

Walter Benjamin, 1936

blems« Stellung bezogen hatte. Ebenso unverblümt präsentierte sich nationalsozialistische Propaganda nur noch in Dokumentarfilmen und Wochenschauen.

Die Filme Leni Riefenstahls (*1902) über den Parteitag von 1934, »Triumph des Willens« (1935), und die Olympiade von 1936, »Olympia« (1938), werden heute zugleich als Beispiele für hohe Dokumentarfilmkunst und faschistische Ästhetik herangezogen. Ausgefeilte Bildkompositionen und ihre geschickte Verbindung mit rhythmischer Montage, von der Regisseurin später als unpolitische Ausdrucksmittel verteidigt, stehen in Riefenstahls Werk ganz im Dienst des Führerkults und der Verherrlichung der NS-Ideologie.

Die Verherrlichung des schönen Körpers: Leni Riefenstahls »Olympia« (1938).

Filme gegen Hitler

Washington betrieb bis zum Kriegseintritt eine isolationistische Politik und bemühte sich, eine neutrale Haltung gegenüber Nazi-Deutschland einzunehmen. In Hollywood, wo man seit jeher viele europäische Emigranten ebenso bereitwillig wie dankbar aufgenommen hatte, formierte sich eine interventionalistische Gegenbewegung.

Chaplin zog als Regisseur, Hauptdarsteller und Komponist von »Der große Diktator« alle Register seiner Kunst. Er ließ in seinem ersten Tonfilm sogar den beliebten kleinen Tramp wiederaufleben: Der aus dem KZ entlassene jüdische Barbier wird mit dem Diktator, eine Karikatur auf Hitler, verwechselt und erhält Gelegenheit zu einer ergreifenden Rede für Menschlichkeit, Frieden und Gerechtigkeit. Dem hochamüsanten Film wurde nach dem Krieg vorgeworfen, den Faschismus verhamlost zu haben.

Als immer mehr über die brutale Annexionspolitik und den innenpolitischen Terror des NS-Regimes bekannt wurde, begannen Künstler, sich gegen den Faschismus zu engagieren. Chaplins Satire »Der große Diktator« (1938–40) war einer der ersten Hollywoodfilme, die die amerikanische Öffentlichkeit von der Notwendigkeit eines verstärkten amerikanischen Engagements in Europa zu überzeugen suchten. 1939 warnte Anatole Litvak in »Ich war ein Spion der Nazis« (1939) vor der Unterwanderung der USA durch nationalsozialistisches Gedankengut; Fritz Lang erzählte in »Menschenjagd« (1941) die Geschichte eines britischen Fallschirmjägers, der über Deutschland abspringt, um Hitler zu erschießen. Ernst Lubitsch stellte in seiner Komödie »Sein oder nicht sein« (1942) das Nazi-Regime als Schmierentheater und seine Protagonisten als halbverrückte Narren dar.

Mit »Mord« (1940), »Saboteure« (1942) und »Das Rettungsboot« (1943) leistete sogar Alfred Hitchcock, der sich im übrigen jeglichen politischen Engagements enthielt, einen Beitrag zur antinazistischen Propaganda.

Als Hitlers Eroberung Westeuropas der amerikanischen Filmindustrie empfindliche Verluste zufügte – 1940 konnten US-Filme nur in neutrale Staaten wie Schweden, Portugal oder die Schweiz exportiert werden –, integrierte Hollywood das Kriegsthema auch in seine üblichen Unterhaltungsfilme. Die Ausnahmesituation des Krieges bot eine spannungssteigernde Kulisse für unzählige Thriller und Melodramen. Das berühmteste Beispiel für die Verbindung von patriotischer Botschaft und kassenwirksamer Melodramatik in Starbesetzung ist Michael Curtiz' »Casablanca« (1942).

Selbst Walt Disney leistete während des Zweiten Weltkriegs seinen Beitrag zur antifaschistischen Propaganda.

Der Held Rick nimmt zunächst ganz privat für sich einen isolationistischen Standpunkt in Anspruch, verzichtet aber schließlich zugunsten des Widerstandskämpfers Victor auf die geliebte Frau. Der Film propagiert den Verzicht auf individuelles Glück angesichts wichtigerer sozialer Anforderungen, gibt aber gleichzeitig dem Traum von der ganz großen Liebe zwischen Mann und Frau neue Nahrung.

»Casablanca« (1942) wurde in den 60er und 70er Jahren zum Kultfilm. Die Geschichte spielt in »einer Welt aus den Angeln« und erzählt von gesellschaftlichen Außenseitern, mit denen sich die junge Intelligenz dieser Jahre identifizieren konnte.

Hatte die Regierung Hollywood vor dem Kriegseintritt noch »Aufwiegelung der Öffentlichkeit« vorgeworfen, so trugen ab 1942 die Streitkräfte selbst zur Errichtung der von Chaplin geforderten »Zweiten Front« bei, indem sie Propagandafilme wie die Wochenschauserie »Warum wir kämpfen« (1942–45) in Auftrag gaben. Szenenbild aus »The Battle of Britain« (1943).

Filme sind heute in vielen verschiedenen Medien zugänglich. Dem Fernsehen, von der Filmindustrie lange Zeit als Bedrohung des Kinos und der Filmkunst bekämpft, verdanken wir u. a. unsere breite Kenntnis der Kinogeschichte und vieler ausländischer oder besonders anspruchsvoller Filme, die eher in die Fernsehprogramme als in die Kinos gelangen. Das Fernsehen hat heute als journalistisches, bildendes und unterhaltendes Medium Funktionen übernommen, die früher anderen

In den 50er Jahren lieferte das Fernsehen mit seinem kurzen täglichen Programm noch Ereignisse, die auch jüngste Zuschauer nicht verpassen wollten.

Medien vorbehalten waren, und wirkt verändernd, aber nicht zerstörend auf diese zurück. Es erreicht mehr Menschen als jede andere Kommunikationsform und sieht sich daher besonderem öffentlichem Interesse ausgesetzt. Warenhändler und Meinungsmacher aller Art haben im Fernsehen die attraktivste aller Werbeflächen ausgemacht, während seine Kritiker es für asozial, phantasietötend und jugendgefähr-

dend halten – Vorwürfe, die einst schon dem Theater, dem Roman und in unserem Jahrhundert immer wieder auch dem Kino gemacht wurden, das heute ein durchaus gehobenes Ansehen genießt. Dabei ist die Television nicht viel jünger als die Kinematographie. Die Versuche, analog zum Fernsprecher auch einen Fernseher zu entwickeln, reichen ins 19. Jahrhundert zurück.

Die Fernsehtechnik besteht darin, daß die Helligkeitswerte von Lichtbildern Zeile für Zeile (zunächst aufgelöst in 60, heute in 625 Zeilen) in elektronische Signale umgewandelt und zu einem Empfänger weitergeleitet werden, der sie wieder zu einem Bild zusammensetzt. Den ersten brauchbaren mechanischen Bildfeldzerleger, die gelöcherte und rotierende Nipkow-Scheibe, erdachte der deutsche Fernsehpionier Paul Nipkow zeitgleich mit den Arbeiten der Lumières an ihrem Cinématographen. Es dauerte jedoch noch über 30 Jahre, bis man 1928 in Amerika und 1929 in England und Deutschland die ersten Testbilder und Versuchssendungen ausstrahlte.

Der wichtigste Schritt zur modernen vollelektronischen Fernsehtechnik war die Entwicklung elektronischer Bildabtaster durch den Amerikaner Vladimir Zvorykin und den deutschen Physiker Manfred von Ardenne. Die ersten regelmäßigen Ausstrahlungen fanden zwar schon in den 30er Jahren statt, doch mangelte es dem zukünftigen Massenmedium noch an der nötigen Infrastruktur: Kaum jemand besaß ein Empfangsgerät. Die Nationalsozialisten, die frühzeitig das Potential des neuen Mediums erkannt hatten und seine Erprobung entschieden förderten, richteten in Berlin öffentliche Fernsehstuben ein, in denen die Bevölkerung 1936 die ersten großen Fernsehübertragungen anläßlich der Olympischen Spiele verfolgen konnte: Die Deutschen sollten ein Volk von Fernsehern werden. Im selben Jahr startete in Amerika das Radio-Network NBC, das schon über vollelektronische Technik verfügte, sein Fernsehprogramm, doch selbst in den sonst so fortschrittlichen USA gab zu dieser Zeit nur etwa 200 empfangsbereite Fernsehapparate.

Neben dem amerikanischen Kino wurde auch das Fernsehangebot der USA zu einem erfolgreichen Exportartikel. Die Cartwright-Männer aus »Bonanza« machten in Deutschland Fernsehgeschichte.

Die ersten regelmäßigen Sendungen galten hüben wie drüben politischen Ereignissen, ab 1944 wurden in den USA auch Box- und Ringkämpfe übertragen. Erst nach dem Krieg war die Zeit reif fürs Fernsehen. Wieder hatten die Amerikaner die Nase vorn: 1947 begannen sie mit der Serienproduktion von Empfangsgeräten, und 1948 nahmen bereits 1 Mio. Haushalte am Fernsehen teil. In den folgenden Jahren breitete es sich geradezu explosionsartig aus: 1952 waren in den USA 15 Mio., 1953 24 Mio. Haushalte mit mindestens einem Gerät ausgestattet – heute sind es schon über 90 %.

Während das Fernsehen in den USA von Anfang an von privaten Unternehmern betrieben wurde, stellte die BBC das Vorbild für ein überwiegend öffentlich-rechtliches Fernsehen in Europa. Vor allem in Westdeutschland wollte man, nach der Gleichschaltung aller Medien durch das Nazi-Regime, die staatliche Einflußnahme auf das Programm verhindern. Das von den westlichen Besatzungsmächten entworfene Konzept für die Arbeitsgemeinschaft der Rundfunkanstalten Deutschlands (ARD) sah für die in öffentlichen Besitz übergehenden Sendeanstalten der Länder Aufsichträte aus Vertretern aller gesellschaftlich relevanten Gruppen vor. Finanziert werden die Sender der ARD sowie das 1963 erstmals ausgestrahlte Zweite Deutsche Fernsehen (ZDF) bis heute aus Gebühren und Werbeeinnahmen, wobei die Sendezeit für kommerzielle Reklame auf täglich 20 Minuten, die vor 20 Uhr gesendet werden müssen, begrenzt ist.

Schon 1954 waren die Amerikaner in der Lage, in Farbe zu senden, in der BRD gab Bundeskanzler Willy Brandt 1967 das Startsignal für das

Das Glücksrad, eine Mischung aus Game-Show und Werbung, entstand nach dem Vorbild der NBC-Show »Wheel of Fortune«. Das Konzept wurde insgesamt von 27 Ländern auf der ganzen Welt übernommen, so daß 100 Mio. Menschen wöchentlich das simple Spiel verfolgen, um hinterher, so jedenfalls die Absicht der Sponsoren, möglichst ein Produkt aus der Palette der gespendeten Gewinne zu erwerben.

amerikanische PAL-System, während das staatlich gelenkte Fernsehen der DDR und die Sowjetunion das französische SECAM übernahmen.

Die drei großen Networks der USA – NBC, CBS und ABC –, die von Beginn an nicht nur um das Fernsehpublikum, sondern auch um die Werbekunden konkurrieren mußten, setzten die inhaltlichen Trends. Als im um Bildung und Information bemühten Fernsehen der BRD noch live aufgeführte Fernsehspiele nach anspruchsvollen Theaterstücken und seriöse Nachrichtenmagazine die Höhepunkte des Programms markierten, setzten die Amerikaner längst auf Unterhaltungs- und Spieleshows, Soap-Operas und Krimiserien, Sport-, Quizsendungen und das sogenannte Infotainment – mithin Formate, die heute die TV-Programme der ganzen Welt bestimmen und für das Medium Fernsehen spezifisch geworden sind.

Um 1970 etablierte sich in den USA mit dem Satelliten- und Kabelfernsehen und dem Pay-TV, bei dem man ein verzerrt ausgesendetes Programm mit einem Dekoder wieder entschlüsseln kann, ein neuer Markt, auf dem die stetig wachsende Zahl an Kanälen konkurriert. Auch in den europäischen Ländern setzten sich bis Anfang der 90er Jahre die neuen Sendetechniken und mit ihnen das private Fernsehen durch. In Italien ließ man 1974 kommerzielle Anbieter von Programmen zum Rundfunk zu, Frankreich und Deutschland zogen zwischen 1981 und 1987 nach, während Belgien, Spanien und Portugal 1987 das duale System mit öffentlich-rechtlichen und privaten Sendern einführten.

Die Erweiterung der Anbietergruppe hat mit der Vielzahl von Kanälen vor allem eine Neuerung gebracht: Die Fernsehnation nimmt nicht mehr an denselben Programmen teil, und immer weniger Menschen können sich am Vormittag über ein gewissermaßen gemeinsam wahrgenommenes Abendprogramm austauschen. Zugleich führte die Vervielfachung der insgesamt ausgestrahlten Sendungen zu einem enormen Bedarf an Programm. Das ursprünglich stark national geprägte Fernsehen der europäischen Länder importiert seit den 70er Jahren zunehmend amerikanische Produkte. Die Straßenfeger der großen Networks, z. B. »Dallas« und »Columbo«, sowie die Spiele-, Talk- und Nightshows nach amerikanischem Vorbild erreichten auch in Deutschland höchste Einschaltquoten. Die Familienserie entwickelte sich von der Beschwörung einer heilen Welt in den 50er und 60er Jahren zu einer immer realistischeren Einschätzung der Familienbeziehung. Tyrannisiert etwa in »Dallas« nur ein aus der Art geschlagenes Ekel die ganze Verwandtschaft, so zeigen die populärsten Serien der 90er Jahre – »Eine schrecklich nette Familie« und »Die Simpsons« – gleich alle Familienmitglieder in satirischer Überzeichnung als gierige, selbstsüchtige Hedonisten, die sich nur für eines interessieren: Konsum und Fernsehen.

Während das Publikum im Gegenwartskino Märchen, Abenteuer und Spektakel sucht, fordert es vom Fernsehen vor allem Wirklichkeitsnähe. Wie sonst ließe sich der große Erfolg des neuen »Reality-TV« erklären, das Reportage mit Katastrophen-Voyeurismus verbindet. Reale Unfälle und Verbrechen werden dafür an Originalschauplätzen nachgestellt. Das bisher unübertroffene Weltfernseh-Ereignis mit den höchsten Einschaltquoten war 1997 das

Begräbnis der englischen Prinzessin Diana. Die Zukunft des Fernsehens wird die Fiktion der manipulierten Abbilder und die Wirklichkeit der Zuschauer möglicherweise in einem noch größeren Maße vernetzen. Das interaktive Fernsehen wird in absehbarer Zeit jedem Teilnehmer Zugriff auf den Zentralcomputer seines Medienanbieters eröffnen, so daß er im Video-on-Demand-Programm nicht nur zwischen verschiedenen Filmen wählen, sondern sich sogar für einen bevorzugten Handlungsstrang entscheiden, bei Live-Sportübertragungen den Kamerablickwinkel bestimmen und nach Werbesendungen sein Warenpaket direkt bestellen kann. Welche Form sich aber tatsächlich durchsetzen wird – das Pay-TV oder das durch Werbung finanzierte Privatfernsehen – oder ob die zappingmüden Zuschauer der Zukunft vielleicht sogar dem öffentlich-rechtlichen System zu einer Renaissance verhelfen, bleibt abzuwarten.

Die privaten Sender finanzieren sich ausschließlich durch den Verkauf von Werbezeiten. Im Unterschied zu den öffentlich-rechtlichen Sendern können sie rund um die Uhr werben, die Spots dürfen jedoch maximal 20 % der gesamten Sendezeit belegen.

1945
Amerikanische Atombomben zerstören Hiroshima und Nagasaki.
1948
Gründung Israels
1949
Gründung der Bundesrepublik Deutschland und der Deutschen Demokratischen Republik; Bertolt Brecht: »Mutter Courage«
1950–1953
Korea-Krieg
1953
Samuel Beckett: »Warten auf Godot«
1954
Antikommunistengesetz in den USA
1955
Zusammenschluß der Ostblock-Staaten zum Militärbündnis Warschauer Pakt
1958
USA bauen erstes U-Boot mit Atom-Antrieb.
1959
Fidel Castro übernimmt Regierungsgewalt auf Kuba.
1960
John F. Kennedy wird Präsident der USA.

Die Neuordnung der Welt nach dem Krieg

Im Jahr 1945 lag das vom Nationalsozialismus befreite Europa in Schutt und Asche. Eine Unzahl von Menschen war auf den Schlachtfeldern und unter dem Bombenhagel ums Leben gekommen oder in der grausamen, staatlich legitimierten Tötungsmaschinerie der Nazis ermordet worden. Industrie und Wohnraum waren zerstört, ein Strom von Heimkehrern und Flüchtlingen bewegte sich durch eine zertrümmerte Landschaft. Das Bekanntwerden des wahren Ausmaßes des Naziterrors führte drastisch vor Augen, wie schnell auch demokratische, in christlich-humanistischer Tradition stehende Gesellschaften zu zynischen Unrechtssystemen pervertieren können, in denen Wirtschaft, Politik und Bevölkerung gleichermaßen bereit sind, an Unterdrückung und organisiertem Genozid mitzuwirken oder zumindest nicht dagegen einzuschreiten.

Zusammen mit der materiellen Not der unmittelbaren Nachkriegsjahre verunsicherte diese Erkenntnis die Überlebenden zutiefst. Sie waren erfüllt von einer starken Sehnsucht nach materieller Sicherheit und verläßlichen Werten. Für kurze Zeit erlebten pazifistische, radikaldemokratische und sozialistische Ideen in Westeuropa eine Konjunktur. Der durch den Marshall-Plan der USA kräftig unterstützte Wiederaufbau der europäischen Industrie führte – vor allem in Deutschland –

In der unmittelbaren Nachkriegszeit waren Filme, die die jüngste Vergangenheit, Krieg, Faschismus und Nachkriegselend behandelten, die Ausnahme. Wolfgang Staudtes »Die Mörder sind unter uns« (1946) war einer der wenigen deutschen ›Trümmerfilme‹, der eine ernsthafte Auseinandersetzung mit der Kriegsschuld suchte.

zu einem »Wirtschaftswunder«, das Konsumdenken und unbedingten Fortschrittsglauben zu den zentralen Werten der neuen westlichen Gesellschaft werden ließ.

Während die USA sich in Westeuropa treue Bündnisgenossen heranzogen, hielt die UdSSR Osteuropa fest im Griff. In der Konkurrenz der beiden neuen Supermächte um die Vorherrschaft in der Welt, verhärteten sich die Fronten rasch und mündeten in der restaurativen Politik des Kalten Krieges. Die Angst vor einer ungewissen Zukunft lähmte die Vergangenheitsbewältigung und führte in Deutschland zur Remilitarisierung, in der Welt zu einem absurden nuklearen Wettrüsten.

Das Publikum der Nachkriegszeit wollte verdrängen statt bewältigen, und deshalb wurden bewußt geschichtslose Filme, die alte, bewährte Werte beschwören, zu den erfolgreichsten Filmen: Marcel Carnés »Die Kinder des Olymp« (1945).

Film in der Stunde Null:
Der italienische Neorealismus

Kurz nach der Befreiung durch die Alliierten drehte Roberto Rossellini (1906–77) im Jahr 1945 einen noch während der Besatzungszeit heimlich vorbereiteten Film, der eine der fruchtbarsten und einflußreichsten künstlerischen Bewegungen der italienischen Filmgeschichte einleiten sollte. »Rom, offene Stadt« (1945) verknüpft die Schicksale antifaschistischer Widerstandskämpfer aus verschiedenen ideologischen Lagern und vermittelt trotz der zum Melodramatischen tendierenden Handlung ein außergewöhnlich authentisches Bild der verzweifelten Atmosphäre der letzten Kriegsphase.

Rossellinis Realismus ist gnadenlos: Alle Identifikationsfiguren des Films, die kommunistischen Widerstandskämpfer, die liebende Frau, die sie versteckt, und der antifaschistisch engagierte katholische Priester werden im Laufe des Films überraschend und fast beiläufig, zum Teil sogar vor den Augen einer paralysierten Bevölkerung, liquidiert. Der Regisseur schockierte sein Publikum mit der lapidaren Darstellung von Grausamkeit, um auf die Verantwortung des einzelnen am faschistischen Terror hinzuweisen und eine kritische Auseinandersetzung mit der jüngsten Vergangenheit in Gang zu setzen. »Rom, offene Stadt« markiert nicht nur einen inhaltlichen Aufbruch, sondern auch

Bereits 1942 kündigte sich in Italien mit »Von Liebe besessen« eine Wende zum Realismus, mithin eine Abkehr von faschistischer Ästhetik an. Der Film wurde durch die Zensur zwar stark beschnitten, doch Luchino Visconti (1906–76) und andere junge Regisseure begannen in der Zeitschrift »Cinema« eine theoretische Diskussion, die den Neorealismus vorbereitete.

den bewußten Bruch mit formalen Traditionen, vor allem mit der glatten Ästhetik des affirmativen Unterhaltungskinos der faschistischen Ära.

Rossellini hatte aus der Not fehlender Studios, dem Mangel an ausgefeilter Technik, Rohfilm und professionellen Schauspielern eine Tugend gemacht: Er drehte in wenigen Takes an Originalschauplätzen mit Laiendarstellern, unter die er nur wenige Berufsschauspieler, darunter die späteren Stars Anna Magnani und Aldo Fabrizi, mischte, und schuf eine bis dahin im fiktionalen Film unerreichte Realitätsnähe. Statt auf

»Rom, offene Stadt« war 1945 der meistbesuchte Film Italiens und einer der wenigen Welterfolge des Neorealismus. Federico Fellini erhielt für das Drehbuch einen Oscar.

psychologische Einfühlung setzte er auf die Schaffung einer intellektuellen Distanz, aus der heraus größere Kausalzusammenhänge überblickt werden können. Absichtlich ließ er die typischen Handlungsbindeglieder aus, um eine klassische Spannungsdramaturgie nach amerikanischem Vorbild zu vermeiden. Die tragischen Episoden des Films stehen deshalb wie zufällig nebeneinander, was dem Film den Charakter einer unvoreingenommenen Chronik verleiht. Der Kontrast zu den sogenannten »telefoni-bianchi« – Filmen, die mit ihrer glamourösen Studioästhetik und den oberflächlichen, im großbürgerlichen Milieu angesiedelten Plots von der sozialen Realität ablenken sollten – hätte nicht größer sein können.

Nach dem ersten Kinoerfolg des italienischen Nachkriegsfilms widmete Rossellini sich in zwei weiteren neorealistischen Episodenfilmen – »Paisà« (1946)

In sechs Episoden berichtet »Paisà« von der Befreiung Italiens durch die alliierten Truppen. Rossellini arbeitete improvisatorisch ohne Drehbuch und ließ sich von der Wirklichkeit der Drehorte zur Erfindung der Handlung inspirieren.

und »Deutschland im Jahre Null« (1947) – der Verarbeitung von Krieg und Faschismus der jüngsten Vergangenheit.

»Fahrraddiebe« gilt als ein Musterbeispiel für neorealistische Filmkunst und gehört heute zum Kanon der Filmklassiker.

»Jeder Mensch ist ein Held« (Cesare Zavattini)

Andere junge Regisseure wandten sich dem zweiten großen Themenkreis des Neorealismus zu, dem Alltag der kleinen Leute im Nachkriegsitalien. Vittorio de Sicas »Fahrraddiebe« (1948) erzählt die Geschichte des arbeitslosen Antonio Ricci, dem am ersten Arbeitstag in seinem neuen Job als Plakatkleber das Fahrrad gestohlen wird, das die Voraussetzung für seine Anstellung war. Verzweifelt verfolgt er den Dieb quer durch Rom und stiehlt am Ende selbst ein Rad.

Wie Rossellini wählte de Sica ausschließlich Originalschauplätze und besetzte Laien. Statt die Menschen in den großen Konflikten der Zeitgeschichte zu zeigen, konzentrierte er sich jedoch auf das Gewöhnliche, die alltäglichen Sorgen der Menschen, mithin die Objektivierung des Einzelschicksals. Die Anordnung der Szenen erfolgt nicht in kausaler Linearität, sondern lediglich, weil sie chronologisch aufeinanderfolgen.

Das Leben, das in der Realität als unzusammenhängend und fragmentarisch erfahren wurde, sollte nun auch im Film in seiner Undurchschaubarkeit und Zufälligkeit dargestellt werden. De Sicas Drehbuchautor Cesare Zavattini formulierte die theoretischen Grundlagen der neorealistischen Bewegung als deutliche Absage an die Stereotypik klassischer Hollywood-Dramaturgie, die »tote Schemata« über die Mannigfaltigkeit lebendiger sozialer Wirklichkeit legte und in dem Be-

Der Schauspieler und Regisseur Vittorio de Sica (1901–74) drehte zusammen mit seinem Drehbuchautor Cesare Zavattini einige der wichtigsten Filme des Neorealismus: »Schuhputzer« (1946), »Fahrraddiebe« (1948), »Das Wunder von Mailand« (1950) und »Umberto D.« (1951).

Einer der wenigen kommerziellen Erfolge des Neorealismus war Giuseppe de Santis' »Bitterer Reis« (1949), der seine Kassenwirksamkeit jedoch weniger seiner sozialkritischen Schilderung der Ausbeutung piemontesischer Reisarbeiterinnen als der erotischen Ausstrahlung der Hauptdarstellerin Silvana Mangano verdankte.

dürfnis nach abstrakten Zusammenhängen den Blick auf »die wirklichen Dinge, so wie sie sind«, verstellten. Die Filme sollten nicht erzählen, sondern abbilden, deshalb dürften sich aus der Fülle der dargestellten Details keine spannenden Handlungshöhepunkte herausheben, das Ende müßte folgerichtig offen bleiben.

Zavattinis theoretische »Gedanken zum Film« suggerieren jedoch die Einheitlichkeit einer Bewegung, die nie wirklich eine ›Schule‹ bildete und schon bald nach dem innovativen Aufbruch der unmittelbaren Nachkriegsjahre in die disparaten Handschriften seiner Macher zerfiel, die sich verstärkt folkloristischen, allgemeinmenschlichen oder christlichen Themen zuwandten.

Begünstigt wurde das rasche Ende des Neorealismus durch die massive Kritik aus den unterschiedlichsten Lagern. Die Kirche nahm Anstoß am Antiklerikalismus und freizügigen Umgang mit der Sexualität, offizielle Regierungskreise waren nicht mit der Darstellung sozialer Mißstände einverstanden, während die politische Linke den Pessimismus und den Mangel an ausdrücklicher politischer Stellungnahme beanstandete. Das neu erlassene »Andreotti-Gesetz« verband finanzielle Förderung mit einer Reihe von Zensurmaßnahmen, die schließlich dazu führten, daß nur noch angepaßte Kassenerfolge mit staatlichen Subventionen unterstützt wurden. Zugleich überschwemmte Hollywood den italienischen Markt bereits wieder mit Produkten, die dem Bedürfnis der Menschen, endlich alles zu vergessen, weit mehr entgegenkamen als die zur

»Der Neorealismus hat dieses Ziel: allen Menschen Mut zu machen, allen das Bewußtsein zu geben, Mensch zu sein. Der Terminus Neoralismus impliziert – im weitesten Sinne – auch die Beseitigung des technisch-professionellen Mitarbeiterstabs, den Drehbuchschreiber inbegriffen. Handbücher, Programme, Grammatiken haben keinen Sinn mehr. Auch Bezeichnungen wie Großaufnahme, Gegenschuß usw. haben keinen Sinn mehr. Jeder hat sein persönliches Drehbuch. Der Neorealismus durchbricht alle Schemata, lehnt alle Regeln ab, die im Grunde nichts anderes sind als Kodifizierung von Schranken. Die Wirklichkeit ist es, die diese Schemata zerbricht. Denn es gibt unendlich viele Möglichkeiten der Begegnung mit der Wirklichkeit für den Mann des Films (man braucht nur mit der Kamera durch die Gegend zu laufen). Es kann a priori keine Großaufnahme und keinen Gegenschuß geben.«

Cesare Zavattini, »Einige Gedanken zum Film«, 1953

moralischen Erneuerung aufrufenden neorealistischen Filme, deren Propagandisten sich schon Anfang der 50er Jahre auf publikumswirksamere und ökonomisch einträglichere Formen verlegten.

Der Einfluß des italienischen Neorealismus auf das Weltkino übertraf seine unmittelbare Verbreitung bei weitem. Seine typischen Stilmerkmale wurden von jungen Nachwuchsregisseuren auf der ganzen Welt zu einem Kino der Moderne weiterentwickelt.

Film noir

Die Schatten des Krieges fanden sogar Eingang in die Filmproduktion Hollywoods. Französische Kritiker prägten 1946 den Begriff *film noir* für einen Stil, der sich in verschiedenen Hollywoodgenres, dem Melodram, Western, Musical, vor allem aber in Kriminalfilmen manifestierte. Die Filme der Schwarzen Serie, wie man sie in Deutschland nennt, handeln meist von Mord und Verbrechen,

doch im Gegensatz zu den Gangsterfilmen der 30er Jahre, die ohne Zweifel Vorläufer des Film noir sind, verschwimmen nun die Grenzen zwischen Gut und Böse. Der Bürgermeister steht dem Verbrechersyndikat

Billy Wilders »Das verlorene Wochende« (1945) gehört zu den wenigen Filmen der Schwarzen Serie, die kein Verbrechen zum Thema haben. Es war zugleich der erste Film, der sich zwar schockierend, aber auch ernsthaft und unromantisch mit dem Thema des Alkoholismus auseinandersetzte.

»Laß dich niemals mit einer Klientin ein«, rät Privatdetektiv Sam Spade in »Die Spur des Falken« (Regie: John Huston, 1941), dem ersten Bogart-Streifen, der zum Kultfilm wurde.

Mit ihrem eisig-berechnenden und mörderischen Charme bei der Gestaltung der Titelfigur aus Billy Wilders Melodram »Frau ohne Gewissen« (1944) begründete Barbara Stanwyck ihren Ruf als kälteste Femme fatale des Film noir.

Den Regisseuren des Film noir ging es mehr um die Atmosphäre als um die Plausibilität der Plots. Bei den Dreharbeiten zu »Tote schlafen fest« (Regie: Howard Hawks, 1945) soll es große Verwirrung darüber gegeben haben, wer nun der Mörder des Chauffeurs war, die auch der Autor Raymond Chandler nicht klären konnte. Die Unstimmigkeiten der Handlung verstärken den Eindruck einer verwirrenden und undurchschaubaren Welt.

vor, und der Held muß morden, um nicht selbst draufzugehen.

Die ersten Filme der Schwarzen Serie entstanden Anfang der 40er Jahre und spiegeln die Stimmung ausweisloser Resignation und Desillusionierung wider, die während des Krieges den amerikanischen Optimismus belastete. Die amerikanische Gesellschaft erlebte zum ersten Mal in vollem Ausmaß die Anstrengungen und Entbehrungen eines totalen Krieges.

Der Kriminalfall im Film noir wurde zur Folie für eine pessimistische Aussage über die Gesellschaft: Krieg herrscht nicht nur im fernen Europa, sondern auch auf den Straßen der Großstadt und vor allem in den Beziehungen zwischen Männern und Frauen.

Von den »good bad girls« zu den Femmes fatales

Die kriegsbedingten gesellschaftlichen Umstrukturierungen hatten zu großen Verunsicherungen und Rollenkonflikten zwischen den Geschlechtern geführt. Während die Männer im Krieg waren, übernahmen Frauen gesellschaftliche Verantwortung, sowohl in der Familie als auch am Arbeitsplatz. Der Film noir, der sich wie seine literarischen Vorlagen von Kriminalautoren wie Raymond Chandler, Dashiel Hammet und James M. Cain an ein männliches Publikum wandte, konfrontiert seine gebrochenen männlichen Protagonisten mit ebenso schönen wie selbstbewußten Frauen. Sie üben auf die Helden eine starke erotische Anzie-

hung aus. Bis zum Ende bleibt jedoch im dunkeln, ob sich hinter den einschüchternden ›bösen‹ Eigenschaften ein gutes Mädchen, das *good bad girl*, oder nicht doch eine Femme fatale verbirgt, die den Helden in Gefahr bringt und sich selbst ins Verderben stürzt.

Typische Stilmerkmale

John Hustons (1906–87) Regiedebüt »Die Spur des Falken« (1941) weist als erster Film die Stilmerkmale auf, die sich als ästhetische Konventionen des Film noir etablieren sollten. Der hartgesottene Privatdetektiv Sam Spade jagt mal in Konkurrenz, mal gemeinsam mit einer Gruppe von Gangstern einer geheimnisvollen Statuette eines Falken nach. Während das Kunstwerk sich am Ende als Fälschung erweist, entlarvt Spade seine attraktive Auftraggeberin, in die er sich (vielleicht) verliebt hat, als Mörderin.

Windstöße, Kerzenlicht und makabre Schatten komplettieren in dem Psychokrimi »Die Wendeltreppe« (1945) von Robert Siodmak das Motiv der Wendeltreppe, die ins Chaos führt.

Nichts scheint verläßlich und beständig zu sein in diesem undurchsichtigen Plot, und die Verunsicherung der Zeitgenossen findet sinnfälligen Ausdruck in einer dämonischen Beleuchtung. Dunkelheit, Seiten- und Unterlicht dominieren in den harten Schwarzweiß-Kontrasten der Bilder, selbst Tagszenen sind wie Nachtszenen ausgeleuchtet. Gegenlichtaufnahmen, überbordende Schatten und Aufnahmen aus ungewöhnlichen Kamerablickwinkeln lassen den um Aufklärung ringenden

Detektiv ebenso im dunkeln tappen wie die Zuschauer. Diese typische Lichtführung erinnert – wie die sich im späteren Film noir entfaltende Vorliebe für Treppenszenen und Spiegelbildaufnahmen – an den deutschen Caligarismus der 20er Jahre. Tatsächlich trugen eine Reihe von nach Hollywood emigrierten Regisseuren aus dem deutschsprachigen Raum maßgeblich zur Schwarzen Serie bei, unter anderen Billy Wilder, Fritz Lang, Anatole Litvak, Robert Siodmak und Fred Zinnemann.

Rita Hayworth, in Hollywood zunächst als Ideal amerikanischer Weiblichkeit gefeiert, wird in der berühmten Spiegelszene aus »Die Lady von Shanghai« (Regie: Orson Welles, 1946) für immer entzaubert und zum Inbegriff der zerstörerischen Femme fatale.

Nur ein wichtiges Kennzeichen des Film noir fehlt in »Die Spur des Falken« noch: Viele spätere Filme lassen den Zuschauer das Geschehen aus der subjektiven Perspektive des Helden erleben, dessen Stimme aus dem Off die Geschichte in Rückblenden erzählt. Durch die Verschachtelung der Zeitebenen werden die Helden der Schwarzen Serie immer wieder von ihrer Zukunft abgeschnitten. Die Vergangenheit, so die düster-fatalistische Aussage dieses dramaturgischen Mittels, wird ewig auf ihnen lasten, ein Fortschritt scheint kaum möglich.

Der Stil des Film noir blieb nicht auf Hollywood beschränkt. Der Engländer Carol Reed drehte die düstere Kriminalgeschichte »Der dritte Mann« (1949), mit Orson Welles in der Hauptrolle, in den Trümmern des kriegsgeschädigten Wien kontrast- und schattenreich, mit vielen gekippten Kamerawinkeln. Die Filmmusik des Zitherspielers Anton Karas wurde weltberühmt.

Die Welt gerät aus den Fugen

Nach dem Krieg erweiterte sich das Spektrum des Film noir. Statt der romantischen Figur des einzelgängerischen Privatdetektivs rückten Kriegsheimkehrer in den Mittelpunkt, die, desorientiert und entfremdet von der einst vertrauten Umgebung, nach ihrem Platz in der Gesellschaft suchen. Gedreht wurde nun auch außerhalb der Studios im nächtlich-urbanen Setting auf regennassen Gassen zwischen Lagerhallen und Bars. In den 50er Jahren scheinen die ambivalenten Helden des Film noir am Zustand der Gesellschaft zu verzweifeln. Sie verstricken sich immer tiefer in das Verbrechen, die noch im frühen Film noir so klare Trennlinie zwischen Opfern und Tätern verschwimmt. Auch die ästhetische Gestaltung dieser Filme unterstützt den Eindruck einer aus den Fugen geratenen Welt.

Als ein verspätetes Meisterwerk der Schwarzen Serie gilt Orson Welles' »Im Zeichen des Bösen« (1957). Ein korrupter Sheriff, der den Tod seiner Frau nicht verwinden kann, fälscht mit mal feister, mal dämonischer Selbstüberschätzung Beweise, um die Aufklärung von Kriminalfällen abzukürzen. Extreme Perspektiven und verkantete Einstellungen, wie Welles sie schon in »Citizen Kane« genutzt hatte, scharfe Hell-dunkel-Kontraste und lange Schatten akzentuieren den wachsenden Wahnsinn des Antihelden und verbreiten eine beklemmende und unheilvolle Atmosphäre. Der Film zeigt eine Welt, die von Mafia, Rauschgiftschmuggel und Mord regiert wird und in der selbst die Gesetzeshüter durchdrehen.

Wie in Deutschland, wo eine kritische Auseinandersetzung mit der jüngsten Vergangenheit in den ›Trümmerfilmen‹ die Ausnahme blieb, und Italien, wo der Neorealismus nicht zum Selbstverständnis der jungen aufstrebenden Republik zu passen schien, wich auch in Amerika die Bewegung des Film noir schon bald einem auf Verdrängung zielenden oberflächlichen Vergnügungskino.

Hexenjagd und Restauration

Mit dem Übergang zum Kalten Krieg änderte sich das soziokulturelle Klima in den USA. Nachdem der Faschismus bezwungen war, konzentrierte man sich mit der angeblichen kommunistischen Gefahr auf ein neues, die Nation einendes Feindbild. Der Beginn antikommunistischer Kampagnen fiel bereits in Trumans Amtszeit. Prozesse gegen die Führung der amerikanischen KP und gegen verdächtige »New-Deal«-Intellektuelle, die der »Eindämmung« der kommunistischen Gefahr dienen sollten, leiteten die beschämende Phase des »McCarthyismus« ein, in der der Senator Joseph McCarthy als gefürchteter Kommunistenjäger eine wahre Hetzjagd gegen Persönlichkeiten des öffentlichen Lebens entfesselte.

Auch Hollywood geriet durch die Aktivitäten von McCarthys »Ausschuß gegen unamerikanische Umtriebe« (HUAC) unter enormen Druck. Man setzte darauf, daß die Vernehmungen von Kino-Berühmtheiten Schlagzeilen machen würden und daß die stets auf Anpassung bedachte Filmindustrie den »Säuberungsmaßnahmen« nur wenig Widerstand entgegensetzen würde. Zu Recht, wie sich zeigen sollte: Nachdem 1947 die ersten zehn »unfreundlichen Zeugen«, die »Hollywood Ten«,

Gary Cooper gehörte neben Jack L. Warner, Ronald Reagan, Louis B. Mayer, Adolphe Menjou, Robert Taylor und Walt Disney zu den ersten Hollywoodgrößen, die die Öffentlichkeit bereitwillig als »freundliche Zeugen« über die angebliche kommunistische Unterwanderung Hollywoods informierten.

Neben Humphrey Bogart und Lauren Bacall, die einen Protestmarsch gegen Verhöre des HUAC anführten, empörten sich u. a. Danny Kaye, John Huston, William Wyler, Jane Wyatt und June Havoc öffentlich gegen die Kommunistenjagd.

wegen Verweigerung einer Aussage vor dem Kommit-
tee bis zu einem Jahr inhaftiert wurden und anschließend auf einer schwarzen Liste auftauchten, die
einem Berufsverbot gleichkam, waren die »freundli-
chen Zeugen« bemüht, ihre antikommunistische
Gesinnung in den Vernehmungen vehement zu
unterstreichen. Dabei kam es zu abstrusen Bekennt-
nissen wie dem von Robert Taylor, der zu Protokoll
gab, Hollywood müsse unpolitisch sein und antikommunistische Filme machen. Ähnlich
paranoid wirkte Walt Disneys Aussage, der seinen Mickey Mouse vom
Weltkommunismus bedroht sah,
seitdem sein Studio bestreikt worden war.

Zu den wenigen zeitkriti-
schen Hollywood-Produk-
tionen der Nachkriegs-
zeit, die sich z. B. mit Arbeitslosigkeit, korrupten
Machenschaften in der
Armee und Rassismus
auseinandersetzten, ge-
hört William Wylers »Die
besten Jahre unseres
Lebens« (1946), der die
Kriegsheimkehrerproble-
matik quer durch die
sozialen Schichten
beleuchtet.

Wichtiger als die Aussagen selbst
war freilich das Auftreten der Stars
vor dem Ausschuß, die damit dessen
Tätigkeit öffentlich legitimierten. Eine unmittelbar ins
Leben gerufene Protestbewegung, die darauf hinwies,
daß die Vernehmungen mit den durch die amerikanische Verfassung garantierten Rechten und Freiheiten
kollidierte, führte zwar dazu, daß die Befragungen für
vier Jahre ausgesetzt wurden. Als der Ausschuß seine
Arbeit 1951 jedoch wieder aufnahm, retteten sich viele
Filmkünstler wie z. B. Elia Kazan, Edward G. Robinson
oder Sterling Hayden vor Karriereschädigungen, indem sie andere denunzierten. Denn wer vorgeladen
wurde und nicht aussagte, galt automatisch als schuldig und mußte damit rechnen, fortan nicht mehr
engagiert zu werden.

Die Auswirkungen der Hexenjagd auf die Filmkunst
waren verheerend. Nur ein Zehntel der auf der schwarzen Liste stehenden Künstler konnte später wieder an
die unterbrochene Karriere anknüpfen. Beinahe pa-
nisch unterdrückten die Filmproduzenten alle kritischen Töne, so daß das Filmangebot der 50er Jahre
nach der kurzen Blüte sozialkritischer und realistischer
Filme vor allem auf Bewährtes setzte, gleichförmig
und oberflächlich blieb.

Dies Angebot kam dem Bedürfnis des durch den wirtschaftlichen Aufschwung saturierten Weltpublikums nach Verdrängung und Zerstreuung durchaus entgegen. Der Schwemme von glamourösen Musicals, sentimentalen Melodramen und aufwendigen Historienspektakeln aus Hollywood entsprach z. B. in Deutschland die Hochkonjunktur des Heimatfilms,

der eine heile Welt mit festen Normen beschwor, die auch durch Nationalsozialismus und Krieg scheinbar nicht ins Wanken gebracht worden war. Ein weiteres Indiz für die restaurative Stimmung der Nachkriegszeit ist die Tatsache, daß in kaum einer Phase der Filmgeschichte international so viele Remakes von Filmen produziert wurden wie zwischen 1949 und 1955.

Die deutschen Heimatfilme waren häufig Remakes von Filmen aus den 30er Jahren, so auch der größte Publikumserfolg der ganzen Dekade: »Grün ist die Heide« (1951) von Hans Deppe. Der Regisseur, der schon während des Dritten Reiches sehr produktiv war, konnte seine Karriere wie viele seiner Kollegen nach Kriegsende bruchlos fortsetzen. Kein Wunder, daß das Interesse der wiederaufgebauten deutschen Filmindustrie an einer kritischen Aufarbeitung der Vergangenheit denkbar gering war.

Filmische Bannung der »roten Gefahr«

Die unter Amerikanern weit verbreitete Angst vor der Unterwanderung der Gesellschaft durch den Kommunismus oder gar vor einer Invasion kommunistischer Truppen wurde nicht allein durch die Aktivitäten von McCarthys Ausschuß gespeist, sondern erhielt zusätzliche Nahrung aus Hollywood. Anfang der 50er Jahre entstand eine Welle von Science-Fiction-Filmen, ein Genre, das bisher vom Kino nur gering geachtet wurde

Die außerirdische Invasion drohte bezeichnenderweise in der Regel vom »Roten Planeten«, dem nach dem römischen Kriegsgott benannten Mars. So in »Red Planet Mars« (1952), »The War of the Worlds« (1953), »Invadors from Mars« (1953) und »Devil Girl From Mars« (1954).

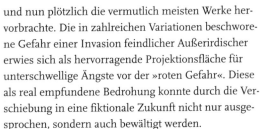

Die durch den Kalten Krieg verunsicherten Amerikaner fürchteten aggressive Invasionen ebenso wie die schleichende Unterwanderung durch den Kommunismus. Diese Angst fand z. B. Ausdruck in »Die Dämonischen« (»The Body Snatchers, 1956), in dem die Bedrohung in den Menschen selbst ihren Platz einnimmt: Die Außerirdischen klonen die Bürger einer Kleinstadt und ersetzen die Menschen durch ihre gefühllosen Doubles.

und nun plötzlich die vermutlich meisten Werke hervorbrachte. Die in zahlreichen Variationen beschworene Gefahr einer Invasion feindlicher Außerirdischer erwies sich als hervorragende Projektionsfläche für unterschwellige Ängste vor der »roten Gefahr«. Diese als real empfundene Bedrohung konnte durch die Verschiebung in eine fiktionale Zukunft nicht nur ausgesprochen, sondern auch bewältigt werden.

Bei der Wahl der Verteidigungsmittel leistete Hollywood der nuklearen Aufrüstung Schützenhilfe. Die Außerirdischen wurden als blutrünstige Monster, wie z. B. in »Das Ding aus einer anderen Welt« (1951), oder als erbarmungslose Fighter, wie in »Kampf der Welten« (1953), dargestellt, die auf Friedens- und Kommunikationsangebote mit Aggression reagieren. Bei Feinden von extremer Unmenschlichkeit, so vermitteln die Filme eindeutig, ist der Einsatz unmenschlicher Verteidigungsmittel wie der Atombombe nicht nur legitim, sondern geboten.

Eine Reihe von Science-Fiction-Filmen thematisierte gleichzeitig freilich auch die Angst vor dem Atomkrieg und seinen Folgen, mithin den Früchten einer nicht mehr durch ethische Vorbehalte gezügelten Wissenschaft. Am »Tag, an dem die Erde stillstand« (1951) warnt der Abgesandte eines fernen Planeten die Menschen vor den Gefahren eines nuklearen Kriegs und

befiehlt ihnen, Frieden zu wahren. Jack Arnold (1916–92), Meisters des Genres, erfand »Die unglaubliche Geschichte des Mr. C« (1957), der durch die Einwirkung eines nuklearen Nebels auf die Größe eines Streichholzes schrumpft und in einer Puppenstube leben muß. In seinem Klassiker »Tarantula« (1955) läßt er umgekehrt eine Spinne rasant wachsen. Wieder sind es naive Forscher, deren gewissenlose Neugier die Menschheit in Gefahr bringt.

Kritik an Invasionsparanoia und Aufrüstungswahn übte »Der Tag, an dem die Erde stillstand« (1951).

Das Ende des Studiosystems

Betrachtet man heute die durchschnittlichen Filmproduktionen der 50er Jahre, insbesondere die Hollywoods,

Ein Bild aus fetten Jahren: 1943 blieben die Kinos für die von der Spätschicht kommenden Fabrikarbeiter bis in die frühen Morgenstunden geöffnet.

so vermittelt sich der Eindruck eines immer reicheren, bunteren, aufwendigeren und glamouröseren Kinos. Tatsächlich erlebte die Filmwirtschaft in den 50er Jahren eine ihrer schwersten Krisen, die sie nur um den Preis eines drastischen Strukturwandels überlebte. Noch 1946 übertrafen die Einnahmen alle bisherigen Rekorde, und berücksichtigt man die Inflation, so war dieses Jahr vielleicht das wirtschaftlich erfolgreichste für die Filmindustrie überhaupt. Die Welt ging ins Kino: Allein in den USA, wo in diesem Jahr über 500 Filme produziert wurden, besuchten über 50 % der Bevölkerung einen Film pro Woche – insgesamt wurden hier 4 Milliarden Tickets verkauft.

Hollywood überschwemmte den aufnahmewilligen europäischen Markt mit seinen Produkten, bis einige um die heimische Filmindustrie bangende europäische Regierungen Einfuhrbeschränkungen verhängten und die Amerikaner zwangen, einen Teil ihrer Exportgewinne auch in Europa zu investieren.

Doch noch vor dem Ende der Dekade kam es in Amerika zu dramatischen Einbrüchen bei den Zuschauerzahlen. Die aus dem Krieg heimkehrenden Männer und die während des Krieges berufstätig gewordenen Frauen zogen sich nun ins Privatleben zurück. Das heißt, sie siedelten aus den Städten um in die Vorstädte, gründeten Familien und hatten keine Zeit mehr fürs Kino, das nun auch nicht mehr so einfach zu erreichen war.

Die Marktführer mußten neben dem Publikumsrückgang einen weiteren Schlag verkraften. Das Justiz-

Preston Sturges (1898–1959) hatte sich bereits als besonders geistvoller Drehbuchautor einen Namen gemacht, bevor er sein Publikum in den 40er Jahren mit seinem feinen Sinn für komisches Timing, den witzigen Dialogen seiner exzentrischen Figuren und brillanten visuellen Gags seiner schwarzen und satirischen Komödien faszinierte. Sein größter Erfolg war »Die Falschspielerin« (1941) mit Henry Fonda und Barbara Stanwyck in den Hauptrollen.

Der Däne Detlef Sierck (1900–87) setzte seine in Deutschland begonnene Karriere unter dem Namen Douglas Sirk in Hollywood fort. Seinen Ruhm verdankt er einer Erfolgsserie von aufwendig produzierten Melodramen, u. a. »Die wunderbare Macht« (1953), »In den Wind geschrieben« (1957) und »Solange es Menschen gibt« (1958). Virtuos zog er alle Register, drückte mit expressiver Farbgestaltung, innovativer Bildsprache und dem emotionsverstärkenden Einsatz dramatischer Musik jedoch nicht nur auf die Tränendrüse, sondern übte dabei gezielte Gesellschaftskritik.

Billy Wilder (*1906), der seit 1951 fast alle Filme selbst produzierte, profilierte sich in den 50ern mit einer zynischen Sicht auf das Filmgeschäft in »Boulevard der Dämmerung« (1950), bissigen erotischen Komödien wie »Das verflixte siebte Jahr« (1955) und »Manche mögen's heiß« (1959) sowie ironischen Attacken auf gesellschaftliche Mißstände und Doppelmoral in »Das Appartment« (1960).

ministerium setzte sich mit dem Finanzsystem Hollywoods auseinander und unternahm entscheidende Schritte, um die Filmwirtschaft aus dem Würgegriff der großen Companys zu befreien. 1948 befand das Oberste Gericht, daß die acht großen Studios sich monopolistischer Praktiken schuldig gemacht hatten, und zwang sie, sich von ihren Kinoketten zu trennen. Verboten wurde außerdem die Praxis des Blockbuchens, die selbständige Kinobesitzer verpflichtete, unbesehen einen ganzen Stoß von Filmen abzunehmen.

Das Urteil besiegelte das Schicksal der Studios, deren gesamte wirtschaftliche Basis auf dem Prinzip eines stabilen und kalkulierbaren Absatzmarktes beruhte. Die Studios konnten ihren personal- und kostenintensiven Produktionsapparat nicht länger finanzieren und gingen Ende der 50er Jahre nach und nach in mächtigen Medienkonzernen auf.

Die Entflechtung der großen Studiokartelle schien zunächst positive Auswirkungen auf die Filmarbeit zu haben, denn sie entmachtete die Konzerne und schuf neue Freiräume für unabhängig arbeitende Regisseure und Autoren. Die neuen Steuergesetze waren so beschaffen, daß es für Stars und Starregisseure günstig war, auf eigene Faust zu produzieren. Wenn für jedes Filmprojekt eine eigene Gesellschaft gegründet wurde, dann mußte der Gewinn, den der Verkauf des Films an einen Verleiher einbrachte, nur noch zu 25 % versteuert werden.

Zwischen 1946 und 1956 verdoppelte sich die Zahl der jährlich produzierten unabhängigen Filme. Mit den größeren Freiräumen gewannen die Regisseure an Profil. Sie wurden als eigentliche Künstler des Films entdeckt und genossen fortan Starruhm wie vorher nur Schauspieler.

Der Meister des Nervenkitzels

Einer der berühmtesten und erfolgreichsten Regisseure, der seit 1948 seine Filme selbst produzierte, war Alfred Hitchcock, dessen wichtigste Filme Mitte der 50er Jahre entstanden. Hitchcock hatte sich als junger Regisseur in verschiedenen Genres versucht. Bald konzentrierte er sich jedoch nur noch auf den Thriller, den er wie kein anderer beherrschte und weiterentwickelte.

Alfred Hitchcock (1899–1980) lernte in England das Filmhandwerk von der Pike auf, arbeitete als Regieassistent, Drehbuchautor und Dekorateur. 50 Jahre lang, zwischen 1926 und 1976, prägte er die Filmgeschichte mit unvergleichlich spannenden und filmsprachlich äußerst originellen Thrillern. Nachdem er 1926 in »Der Mieter« aus Mangel an Statisten erstmals selbst kurz aufgetreten war, wurde sein kurzes Erscheinen zum obligatorischen Gag in all seinen Filmen.

Hitchcock empfand ein persönliches Vergnügen daran, sein Publikum zu verwirren und immer wieder zu überraschen. Er zielte nicht auf Schauer oder Horror, sondern auf *suspense.* Diese spezifische Art des Spannungsaufbaus entsteht, wenn der Zuschauer mehr weiß als die handelnde Figur, mit ihr mitfiebert und inständig hofft, daß diese das über ihr hängende Damoklesschwert noch rechtzeitig entdeckt.

Hitchcocks Helden sind meist unscheinbare Durchschnittsmenschen, die durch unerklärlich erscheinende Vorgänge geängstigt (»Bei Anruf Mord«, 1954), unversehens in Verbrechen verstrickt (»Verschwörung im Nordexpreß«, 1951) oder unschuldig verdächtigt und angeklagt werden (»Der falsche Mann«, 1956). Selbstzweifel und Verdacht führen sie an die Abgründe ihrer eigenen Natur; Hitchcocks Filme rühren auf diese Weise an alle sorgsam gehüteten Geheimnisse, verdrängten Ängste und verborgenen erotischen Phantasien seiner Zuschauer.

Mit der Konfrontation des harmlosen Durchschnittsbürgers mit den unter der Oberfläche scheinbarer Normalität brodelnden Gefahren brachte der Meister des

Nervenkitzels die grundlegende Verunsicherung seiner Zeitgenossen auf den Punkt und sorgte zumindest in seinen frühen Filmen

Das begrenzte Sichtfeld eines bewegungsunfähigen Fotografen (James Stewart), der seine Nachbarn und einen Mord durch sein Teleobjektiv beobachtet, wird zur dominanten Perspektive in »Das Fenster zum Hof« (1954) und identifiziert den Voyeurismus des Helden mit dem seines Publikums.

Der Meister des *suspense* erlaubte sich zur Spannungssteigerung manchmal Szenen von schamloser Unglaubwürdigkeit. In »Der unsichtbare Dritte« (1959) versuchen die Bösewichter den fliehenden Helden (Cary Grant) von einem Dünge-Flugzeug aus zu erschießen.

mit einer befriedigenden Aufklärungen und seinem hintergründigen Humor für kathartische Entlastung.

Hitchcock stellte sich ständig neuen ästhetischen Herausforderungen. 1943 pferchte er Überlebende eines alliierten Schiffs mit dem U-Boot-Kommandanten, der es torpediert hatte, für die Dauer eines Films in ein gemeinsames »Rettungsboot« und gestaltete die unerwünschte Nähe in einer dichten Folge von beklemmenden Nah- und Großaufnahmen. »Cocktail für eine Leiche« (1948), sein erster Farbfilm, erweckt mit seiner beweglichen Kamera den Eindruck, in nur einer Einstellung gedreht zu sein.

Hitchcock wurde zwar schon früh als routinierter Spezialist für ungewöhnlich spannende Kriminalfilme anerkannt, von etablierten Rezensenten jedoch nicht weiter ernst genommen. Ende der 50er Jahre entdeckte die junge französische Filmkritik, die ihrerseits die Nouvelle vague hervorbringen sollte, die künstlerischen Qualitäten seiner Filme und verehrte ihn wegen seiner individuellen und innovati-

In seinen späten Filmen klärte Hitchcock die geheimnisvollen Vorgänge, denen seine Durchschnittshelden ausgeliefert sind, nicht mehr unbedingt auf. So zum Beispiel in dem an den Horrorfilm grenzenden Thriller »Die Vögel« (1963), der das Motiv der sich rächenden Natur antizipiert.

ven Filmsprache als »Auteur«. Hitchcocks ausgeprägter persönlicher Stil, seine feine Psychologisierung der typischen Thriller-Motive und nicht zuletzt sein meisterhafter Umgang mit den medienspezifischen Mitteln zur Erzeugung von *suspense* und *surprise* wurden prägend für das Genre und beeinflußten die Entwicklung der Filmkunst maßgeblich.

Die große Konkurrenz: Fernsehen

Nachdem die Filmindustrie durch das Entflechtungsurteil und den allgemeinen Zuschauerrückgang aufgrund sozialer Strukturveränderungen bereits angeschlagen war, wirkte sich die Einführung des Fernsehens verheerend aus. Sein kometenhafter Aufstieg war zweifellos die Hauptursache für die schwere Krise des Kinos in den 50er Jahren. Der katastrophale Zuschauerrückgang – zwischen 1947 und 1951 verlor das amerikanische Kino fast die Hälfte seiner Zuschauer, bis 1957 waren es etwa 75 % – entwickelte sich parallel zur Blitzkarriere des neuen Mediums.

Der Krieg hatte die Verbreitung des Fernsehens, das seit den 30er Jahren bekannt war, nur hinausgezögert. Die Elektroindustrie, die mit der Herstellung kriegswichtigen Geräts völlig ausgelastet gewesen war, begann erst Ende der 40er Jahre damit, ihre Überkapazitäten durch die Massenherstellung von Fernsehern auszugleichen. Die serienmäßige Herstellung begann 1947, 1948 gab es bereits eine Million Empfangsgeräte in den USA, und bis 1960 drang der Fernseher in 90 % aller Haushalte vor. In Europa nahm die gleiche Entwicklung nur etwas zeitversetzt ihren Lauf. Ab 1952 wurden in der Bundesrepublik regelmäßig Sendungen ausgestrahlt, was hier wie allerorten zu einem Schwund der Filmbesucher und Sterben der kleinen Kinos führte.

Wie das Kino im Jahr 1895 schien 1947 auch das Fernsehen einem gesellschaftlichen Bedarf zu entsprechen und wurde sofort angenommen. Die neue Kommunikationsform kam dem allgemeinen Bedürfnis nach Privatheit, nach nicht öffentlicher und vereinzelter Rezeption entgegen. Das Kino wandelte sich, wie zuvor

Der erste Cinemascope-Film »Das Gewand« (1953) nutzte die überwältigende visuelle Wirkung des Breitwandformats zur effektvollen Inszenierung von Massen- und Kampfszenen. Der Kassenschlager löste eine Welle von überaus erfolgreichen Bibelfilmen aus, die in dem Historienspektakel »Ben Hur« (Regie: William Wyler, 1959) gipfelte, der mit elf Oscars ausgezeichnet wurde.

Für die Projektion im Cinemascope-Verfahren wurde das Bild mit Hilfe einer anamorphotischen Speziallinse auf 35-mm-Film gestaucht, um in der Verführung mit einem entsprechenden Objektiv wieder entzerrt zu werden. Szene aus »Wie angelt man sich einen Millionär« (1953) mit Marilyn Monroe.

das Theater, vom alltäglichen zum außergewöhnlichen Freizeitvergnügen. Der Zuschauer, der sich im Fernsehen alles anschaute, was er vorgesetzt bekam, wählte für seinen Kinobesuch besondere Filme aus. Von nun an war der Gang ins Kino keine Gewohnheit mehr, und jeder Film mußte sich sein Publikum mit immer aufwendigeren Promotion-Kampagnen selbst erwerben.

Die erste Reaktion der Filmindustrie auf die Besucherverluste entsprach diesem neuen Verhalten der Konsumenten: Man stellte nicht mehr so viele, dafür aber attraktivere Filme nach berühmten Romanvorlagen und mit einem möglichst großen Aufgebot an Stars her.

Technische Innovationen

Die Filmindustrie reagierte nicht nur defensiv auf die neue Konkurrenz des von Rundfunkleuten produzierten Fernsehens. Die naheliegende Idee, das Fernsehen als neue Verteilungsstruktur für die unzähligen, in Archiven verstaubenden Spielfilme zu nutzen, kam allerdings noch niemandem. Statt dessen setzte man auf die technische Überlegenheit des Kinos gegenüber dem kleinen, vergleichsweise unscharfen Fernsehbild und versuchte diesen Vorsprung durch technische Innovationen auszubauen.

Die Weiterentwicklung des bisher zu aufwendigen Farbfilms, der sich trotz erster Publikumserfolge Ende der 30er Jahre nicht durchgesetzt hatte, wurde bewußt vorangetrieben. In den frühen 50er Jahren erhöhte sich der Anteil an Farbfilmen von 20 auf 50 %. 1952 brachte Eastman unter dem Namen »Eastman-Color« einen einstreifigen Farbfilm heraus, der zwar an die Brillanz des komplizierten dreistreifigen Technicolor-

Verfahrens nicht heranreichte, die Farbfilmproduktion und -projektion jedoch erheblich erleichterte. Als 1967 endlich auch das Fernsehen in Farbe senden konnte, hatte Hollywood fast vollständig auf Farbfilme umgestellt.

Eine Sensation gelang mit der Einführung des Breitwandkinos. 1952 feierte das »Cinerama«, ein Drei-Projektoren-System seine Uraufführung. Erfolgreicher noch war das weniger aufwendige »Cinescope«-Verfah-

---

Die Entwicklung des Farbfilms

Handcolorierung: Schon Méliès und Edison wendeten dieses Verfahren an, bei dem die Farbe nachträglich mit feinen Pinseln auf jedes einzelne Phasenbild des fertigen Filmstreifens aufgetragen wird.

Virage: Fast alle Stummfilme wurden bis in die Mitte der 20er Jahre in mindestens zwei oder sogar mehreren Farben durch das Einlegen in ein Farbbad getönt. In der Regel verwendete man eine blaue Tönung für Nachtszenen, eine rote für Feuer, grün für Außen- und Bernstein für Innenszenen. Mit dem Aufkommen des Tonfilms verschwand das Verfahren, weil das Tönungsbad die Tonspur beschädigte.

Tönung: Chemische Färbung von Schwarzweißfilmen, bei der im Gegensatz zum Virage-Farbbad nur das Silberbild (also die dunklen Bildpartien) Farbe annahmen. In der Verbindung mit der Virage konnte ein zweifarbiges Bild entstehen.

Additive Verfahren: Bei der Belichtung des Schwarzweißfilms werden Einzelbilder mit verschiedenfarbigem Licht über Filter, Raster oder Prismen für eine Projektion mit verschiedenfarbigem Licht vorbereitet. Aus rot-, blau- und grünfarbigem Licht lassen sich bei der Projektion alle Farben des Spektrums mischen. Das additive Verfahren bildet die Grundlage des Farbfernsehens, im Kino, wo es erstmals 1906 Anwendung fand (»Kinecolor«), konnte es sich hingegen nicht durchsetzen.

Subtraktive Verfahren: Da weißes Licht eine Mischung aus allen Farben des Spektrums ist, lassen sich mit Hilfe von Filtern in den drei subtraktiven Grundfarben gelb, zyanblau und magentarot alle Farben auf der Leinwand reproduzieren, indem die verschiedenen Farbschichten auf dem Filmstreifen je nach Bedarf die Farben aus dem durch sie projizierten weißen Licht herausziehen. Subtraktive Verfahren setzten sich in den späten 20er Jahren gegen die komplizierten und technisch anfälligen additiven Verfahren durch.

Technicolor: Subtraktives Verfahren, das zunächst auf zwei (ab 1917), dann auf drei Farbauszügen (etwa seit 1930) basierte. Die Farbigkeit des Technicolor-Materials ist unübertroffen, berühmte Technicolor-Filme sind »Vom Winde verweht« (1939) und »Ein Amerikaner in Paris« (1951).

Kodachrom: Mehrschichtiger Film von Eastman (1950), bei dem drei für die Grundfarben empfindliche Farbschichten direkt auf einen einzigen Filmstreifen aufgetragen werden, die das Material selbst nun farbempfindlich macht

Eastman Color: 1952 hat Eastman das Kodachrom-Verfahren zu einem Negativ-Positiv-Verfahren weiterentwickelt, das heute Standard im professionellen Gebrauch ist.

Agfa Color: Ein in Deutschland entwickelter Negativ-Positiv-Farbfilm, der sich von Eastman Color nur durch die Verwendung andersartiger farbgebender Substanzen (Farbkuppler) unterscheidet. Der erste abendfüllende deutsche Farbfilm war »Frauen sind doch bessere Diplomaten« (1939).

3-D-Premiere in New
York 1952

ren, bei dem mit Hilfe einer anamorphotischen Linse ein weitwinkliges Bild auf einen 35-mm-Filmstreifen gestaucht und bei der Projektion wieder entzerrt wurde.

Der Film wurde der Realität immer ähnlicher: Zusätzlich zu Farbbildern und Breitwandprojektion faszinierte das Kino durch brillanten Stereoton. Duftende AromoRamafilme oder Glorios-Smell-O-Visions blieben freilich ebenso kurzlebige Modeerscheinungen wie das 3-D-Kino, das die Illusion eines dreidimensionalen Bildes mit erkennbarer Tiefe schuf. Das 3-D-Verfahren macht sich die Tatsache zunutze, daß ein Teil unserer Tiefenempfindung beim Sehen durch den Abstand unserer Augen entsteht. Bei der Aufnahme eines 3-D-Films wird dieser Abstand durch zwei Kameras simuliert, die ein und dieselbe Szene gleichzeitig in fünf Zentimeter Entfernung voneinander aufnehmen. Dieses Verfahren wurde bereits in der Stereo-Fotografie erfolgreich angewendet. Damit aber auch alle Zuschauer im großräumigen Kino dieses Bild aus derselben Perspektive wahrnehmen können, mußte zunächst die polarisierte Projektion, in den 50er Jahren unter dem Namen »Natural Vision« eingeführt, erfunden werden. Die Zuschauer, die Pappbrillen mit je einem roten und einem grünen Glas aufsetzen mußten, fanden die Sehhilfen bald lästig oder klagten sogar über Kopfschmerzen. Außerdem wurden nur wenige niveauvolle Filme im 3-D-Verfahren hergestellt – eine berühmte Ausnahme war übrigens Hitchcocks »Bei Anruf Mord« –, so daß die technische Neuheit in den Verruf kam, statt spannender Unterhaltung nur billige Effekte zu bieten.

Gene Kelly (1912–96)
war neben Fred Astaire
und Judy Garland *der*
Musical-Star der 50er
Jahre. Zu seinen größten
Erfolgen gehörte die heitere Komödie über den
Beginn des Tonfilms »Du
sollst mein Glücksstern
sein« (1952).

Qualitätssteigerung im Genrefilm

Die Bemühungen um eine Qualitätsverbesserung der Ware Film kamen vor allem den bewährten klassischen Genres wie dem Musical oder Western zugute, die den 50er Jahren einige ihrer Prachtexemplare verdanken. Beide Genres profitierten von

Farbe und Breitwand: Der Western wurde durch faszinierende Landschaftsaufnahmen aufgewertet, die Musicalproduzenten konnten die dekorativen und ornamentalen Elemente ihrer Glamourfilme nun noch beeindruckender zur Geltung bringen.

Auch das Kostüm- und Historienspektakel verdankt seine Renaissance in den 50er Jahren den filmtechnischen Innovationen, die sich in den opulenten Monumentalfilmen effektvoll zur Schau stellen ließen. Besonders populär wurden Epen nach biblischen Stoffen. »Die zehn Gebote« (1957) ist eines der typischen Remakes dieser Dekade, das Cecil B. DeMille angeblich auf Wunsch seiner Fans mit einem für die Zeit gigantischen Buget von 13 Millionen Dollar im Cinemascope-Format realisieren durfte.

Fred Zinnemanns Edel-Western »Zwölf Uhr mittags« (1952) kann als Parabel auf die McCarthy-Ära gelesen werden, in der niemand wagte, sich öffentlich mit den Denunzierten und Angegriffenen zu solidarisieren.

Befreit aus den engen Konventionen der billigen B-Picture-Produktion gewannen die klassischen Genres an Komplexität und überschritten ihre bislang so klar definierten Grenzen. Der Bruch mit traditionellen Konventionen eröffnete neue ästhetische Möglichkeiten: Der Kriminalfilm entwickelte sich zum Psychothriller, einige Musicals avancierten gar zu politischen Satiren, und der sogenannte Edel-Western überraschte

mit einer individuelleren Zeichnung der Charaktere und der kritischen Reflexion virulenter gesellschaftlicher Probleme. Als Spiegelbilder der amerikanischen Gesellschaft der 50er Jahre verhandelten die Western Fragen nach dem Verhältnis von Gesetz und Moral, dem Preis des zivilisatorischen Fortschritts, dem Antagonismus von individuellem Glücksanspruch und gesellschaftlichen Zwängen, nach Rassismus und der Toleranz von Minderheiten.

Relativ erfolgreich war übrigens auch eine Gruppe von Komödien, die das Männerbild der meisten Genres ad absurdum führte. In Komödien um das Duo Dean Martin und Jerry Lewis z. B. erschienen Männer als unpraktisch und tolpatschig, während entschei-

Erfolgreich investierte man in das Genre des Melodramas. Psychologisch angeschlagene Männer und tapfer leidende Frauen erleben tragische Schicksalsschläge und werden dabei in expressive Farben getaucht und von unbarmherzigen Spiegeln entlarvt. Ein Meisterwerk des Genres gelang Douglas Sirk mit dem Rassismus-Drama »Solange es Menschen gibt« (1958).

dungsfreudige Frauen die Handlung vorantrieben. Die
Einschränkung der Produktion von B-Pictures hatte
jedoch auch das Verschwinden des Film noir zur Folge,
dessen spezifische Ästhetik sich nicht im Farbfilm realisieren ließ. Nur noch ein Regiestar wie Hitchcock
konnte es sich 1960 erlauben, einen Schwarzweiß-
Film ohne Starbesetzung zu drehen. Der außergewöhnliche Thriller »Psycho« wurde wegen seiner Mischung aus grotesker Komödie mit Elementen des
Horrorgenres zum Kultfilm.

Die Halbstarken kommen

Im Bemühen, der Konkurrenz des attraktiven und
bequemen Fernsehkonsums zu trotzen, begann man
schließlich, das Kinoangebot auf bestimmte Zielgruppen zuzuschneiden. Die großen Erstaufführungsthea-
ter wurden zu Kinocenters mit vielen kleinen Schach-
telkinos umgebaut, die ein breiteres Angebot für unterschiedliche Altersgruppen boten.

Hollywood produzierte Kino für die ganze Familie,
Kinderstars hatten Hochkonjunktur, und der werbe-
wirksame Klatsch wurde gezielt in weniger skandalöse
Bahnen gelenkt. Filme wie »Vater der Braut« (1950),
»Im Dutzend billiger« (1950) oder »Hausboot« (1958)
versuchten mit ihrem idyllischen Bild vom häuslichen
Glück die verschiedenen Generationen, die sich all-

In den 50er Jahren
boomten die Autokinos:
Gab es 1945 erst 24
flimmernde Parkplätze in
den USA, so waren es
1956 schon 4000, auf
denen ein Viertel der ge-
samten Kino-Einnahmen
eingefahren wurden. Sie
verlockten u. a. durch
ihren niedrigen Eintrittspreis, zu dem man meist
gleich mehrere Filme
hintereinander ansehen
konnte. Autokinovorstel-
lung aus den 50ern mit
DeMilles »Die zehn
Gebote«.

abendlich vor dem Fernseher versammelten, auch gemeinsam ins Kino zu locken.

Walt Disney spezialisierte sich auf Unterhaltungs- und Abenteuerfilme für Kinder und Heranwachsende. Vor allem aber entdeckte man das jugendliche Publikum. Während die Erwachsenen ihre Freizeit mit Vorliebe vor dem Fernseher verbrachten, zog es die unternehmungslustigeren Teenager nach wie vor in die Innenstädte und vor allem in die Dunkelheit der Kinosäle, wo sie nicht nur die ihren speziellen Vorlieben entgegenkommenden Filme goutierten, sondern auch die unbeobachtete Nähe zum anderen Geschlecht. Besonders schätzten die Jugendlichen die Diskretion der zahlreichen Autokinos, der sogenannten »Passion Pits« (»Leidenschaftslöcher«), deren Ausbreitung in den 50er Jahren parallel zu den Schließungen traditioneller Kinos verlief. Ende der 50er Jahre waren zwei Drittel aller Kinogänger zwischen 16 und 24 Jahre alt. Dieser neuen Publikumszusammensetzung entsprechend wandelten sich auch die Inhalte der Filme. Die Jugend interessierte am Kino vor allem das, was das Fernsehen ihnen nicht bot: Rock'n'Roll-Musicals, Horror- und Actionstreifen und Filme, die sich mit Themen wie der Jugendkriminalität und dem Generationenkonflikt auseinandersetzten.

Europäische Filmkünstler

Allen künstlerischen, technischen und ökonomischen Anstrengungen zum Trotz erlebte das amerikanische Kino während der 50er Jahre einen unaufhaltsamen Niedergang. Wirkliche Neuerungen fanden anderswo statt. In Europa ergänzten sich die Maßnahmen gegen die Konkurrenz des Fernsehens und die Übermacht

Der im Alter von 24 Jahren tödlich verunglückte James Dean (1931–55) wurde mit nur drei Filmen zum Inbegriff des jugendlichen Rebellen in einer angepaßten und gleichgültigen Erwachsenenwelt. Nach »Jenseits von Eden« (Regie: Elia Kazan, 1954), »… denn sie wissen nicht, was sie tun« (Regie: Nicholas Ray, 1955) folgte »Giganten« (Regie: George Stevens, 1955), in dem der scheiternde Held zur Ikone eines gekreuzigten Jesus neben Elizabeth Taylor in der Haltung einer knienden Maria Magdalena stilisiert wird.

Scharenweise strömten weltweit die jugendlichen Fans ins Kino, um den »King of Rock'n'Roll« singen zu sehen, obwohl seine Filme von der Kritik meist verrissen wurden. »Rhythmus hinter Gittern« (1957).

Hollywoods zu einem günstigen Klima für das Wieder-
aufblühen der Filmkunst. In England und Frankreich,
wo die Filmindustrie nach dem Krieg daniederlag, versuchte man sich gegen die Überschwemmung der
Märkte durch Hollywood-Produkte mittels gesetzlicher
Maßnahmen wie Einfuhrbeschränkungen und spezieller
Steuern zu wehren. Als die Amerikaner mit einem
Boykott drohten, einigte man sich darauf, daß ein Teil
der Gewinne in die inländische Filmindustrie investiert werden mußte.

In England, Frankreich, Italien und Skandinavien
konnte die heimische Produktion seit 1950 beachtliche
Steigerungsraten verzeichnen. Zusätzlich gefördert
wurde der Aufschwung durch staatliche Unterstützung, Koproduktionen mit dem Fernsehen und die
gezielte Einrichtung von cinephilen Filmclubs und
Filmfestivals, die zu wertvollen Promotioninstrumen-
ten für eine neue Generation von Filmkünstlern außerhalb des kommerzialisierten Vertriebssystems wurden.

Die europäischen Länder entdeckten den Film als
zukunftsträchtige Exportware und bauten die Festivals
von Venedig (seit 1932), Cannes (seit 1946), Karlovy
Vary (seit 1946), Locarno (seit 1946), Berlin (seit 1951)
und San Sebastian (seit 1954) und zu internationalen
Umschlageplätzen aus. Das Filmschaffen spaltete sich
in einen populären und einen elitären Zweig, entwik-
kelte sich weg von den kollektiv und nach immer gleichen Strickmustern produzierten Genres hin zu einer
persönlichen Kunst, als dessen eigentlicher »Autor«
der Regisseur und nicht etwa der Drehbuchverfasser
wahrgenommen wurde.

Der französische Kritiker Alexandre Astruc forderte
1948 in einem Manifest ein Kino des »Caméra-Stylo«,
in dem der Filmregisseur mit der Kamera schreiben
solle wie ein Autor mit seinem Stift, um eine Filmsprache zu entwickeln, die so komplex ist wie die wort-
sprachliche. Die Kunst des Films sollte ebenso persönlich werden wie die Literatur, und Technik, Stab und
Schauspielensemble sollten in den kreativen Händen
des Regiekünstlers zum Instrument werden.

Neben neorealistischen
Filmen aus Italien und
romantischen Qualitäts-
filmen aus Frankreich
schlug vor allem Europas
neuester Star Brigitte
Bardot (*1934) mit
ihrem ersten Kinoerfolg
»… und immer lockt das
Weib« (1956) bei den
Amerikanern ein.

Selbst in Amerika, wo man im Zuge der Strategien gegen das Fernsehen neue Zielgruppen anzusprechen versuchte, entstand ein Nischenmarkt für die sogenannten Cineasten. 1950 gab es bereits 100 Filmkunsttheater in den USA, Mitte der 60er Jahre richteten sich bereits 600 Kinos speziell an ein cinephiles Publikum. Sie zeigten freilich vor allem Importiertes aus Europa, wo eine Reihe von Regisseuren unter den neuen günstigen Bedingungen für die Filmkunst ihre Talente entfaltet hatten.

Italien: Fellini und Antonioni

In Italien entwickelte Federico Fellini (1921–93), der sich nach einigen frühen neorealistischen Filmen von dieser Arbeitsweise abwandte, einen ausgeprägten Personalstil. Er gilt als autobiographischer Filmemacher, dessen Filme immer reicher an außergewöhnlicher imaginativer Phantasie und zu Spiegeln seiner subjektiven Erlebniswelt wurden. Wiederkehrende Themen sind die männliche Sexualität und seine spezifisch italienische Haßliebe zur katholischen Kirche und zu deren Vertretern. Höhepunkte in seinem Schaffen markieren neben dem mehrfach preisgekrönten »La Strada – Das Lied der Straße« (1954) der vom Vatikan heftig kritisierte Film »Das süße Leben« (1959) über die Dekadenz der römischen High-Society und »8 ½« (1962), Fellinis vielschichtiges Portrait eines Regisseurs, der schonungslos mit seinesgleichen und seiner Zeit ins Gericht geht.

Das filmische Märchen »La Strada – Das Lied der Straße«, in dem Fellinis Ehefrau Giulietta Masina die weibliche Hauptrolle spielte, wurde Fellinis erster Welterfolg, von den ehemaligen Weggefährten jedoch als Verrat am Neorealismus kritisiert.

Die eher pessimistischen und intellektuellen Filme Michelangelo Antonionis (*1912) heben sich stark von den lebensbejahenden sinnlichen Spektakeln seines Landsmannes ab. Seine außergewöhnliche Handschrift fiel bereits in seinen frühen Werken auf: Mit fließenden, komplexen Kamerabewegungen erzählt er in »Chronik einer Liebe« (1953), »Die mit der Liebe spielen« (1959) und »Die Nacht« (1960) geheimnisvolle und erotische Geschichten auf verschiedenen Zeit- und Bewußtseinsebenen. 1966 drehte er im Auftrag MGMs in England »Blow Up«, ein Film, der zum

Vorbild für die Auseinandersetzung des modernen Kinos mit dem eigenen Medium wurde und die nachfolgende Generation von jungen Filmemachern mit seiner außergewöhnlichen Stille und Offenheit inspirierte. An den internationalen Erfolg von »Blow Up« konnte Antonioni erst 1982 mit seinem Alterswerk »Identifikation einer Frau« wieder anknüpfen.

Schweden: Bergmann

Bibi Andersson und Liv Ullmann zählten zum festen Stamm an hervorragenden Schauspielern aus Bergmanns Starensemble. In »Persona« (1966) präsentiert er ein Psychodrama von höchster künstlerischer Verfremdung: Die beiden Protagonisten scheinen zu verschiedenen Aspekten einer Persönlichkeit zu verschmelzen.

Der Schwede Ingmar Bergmann (*1918), der zwischen 1945 und 1983 nicht weniger als 45 Spielfilme drehte, wurde bereits in den 50er Jahren mit seinen Filmen »Das Lächeln einer Sommernacht« (1955), »Das siebente Siegel« (1956) und »Wilde Erdbeeren« (1957) als autonomer Filmkünstler wahrgenommen. Bis hin zu seinem letzten großen Film »Fanny und Alexander« (1982) waren Bergmanns Werke von autobiographischen Erlebnissen, seiner bedrückten Kindheit im streng protestantischen Elternhaus, seinen Erfahrungen aus sechs Ehen (v. a. »Szenen einer Ehe«, 1973) und der Auseinandersetzung mit der Rolle des Künstlers in der Gesellschaft geprägt.

Bergmanns filmische Ästhetik ist beeinflußt von seiner Herkunft aus dem Theater, das er trotz seiner Kinoerfolge nie aufgab. Er besetzte immer wieder dieselben hervorragend aufeinander eingespielten Schauspieler und erreichte in seinen filmischen Kammerspielen hohe psychologische Intensität durch den Einsatz von Schärfentiefe und das Drehen in langen Einstellungen.

Bergmann setzte sich in seinen Filmen mit tiefgreifenden moralischen und religiösen Fragen auseinander, was ebenso wie sein Renommé als Theaterkünstler dazu beitrug, daß westliche Intellektuelle das Kino als seriöse zeitgemäße Kunstgattung zu betrachten begannen. Mit seinem Image als empfindsamer und kompromißloser Filmemacher wurde Bergmann zum Vorbild für eine neue Generation von Regisseuren; seine Filme nahmen eine zentrale Position in der Filmkunstbewegung der Nachkriegszeit ein.

Frankreich:
Tati und Bresson

In Frankreich traten in den 50er Jahren mit Jacques Tati (1908–82) und Robert Bresson (*1907) zwei eigenwillige Filmemacher hervor, die die Filmgeschichte zwar um vergleichsweise wenige, dafür aber um so nachhaltiger wirkende Kunstwerke bereicherten. Tati war zugleich auch der Hauptdarsteller seiner skurrilen Komödien um die Figur des Monsieur Hulot, der den Kampf gegen die Tücken eines technisierten Alltags in einer Welt ohne menschliche Wärme antritt.

Als schweigsamer Monsieur Hulot erinnert Jacques Tati in seinen Satiren auf die moderne Konsumgesellschaft an die großen tragikomischen Stummfilmkünstler. Szene aus »Mein Onkel« (1958).

Spezifisch für Tatis Filme sind die vielen visuellen Gags, die choreographisch anmutende Bewegung der Figuren, das komplexe Geflecht von witzigen Geräuschen, Musik und pointiertem Dialog sowie die Vorliebe des Regisseurs für halbnahe oder halbtotale Einstellungen, die den spannungsvollen Widerspruch von Figur und Umgebung unterstreichen helfen.

Robert Bresson verstand den Film eher als eine Mischung aus Malerei und Musik als aus Theater und Fotografie und entsprach in besonderem Maße Astrucs Forderung nach der Ästhetik der »Caméra-stylo«. Seine

Filme basieren zwar häufig auf berühmten literarischen Vorlagen, sind aber in einer ganz eigenständigen Filmsprache erzählt, die auf

Mit dem kargen Stil seines Films »Tagebuch eines Landpfarrers« (1950) revolutionierte Bresson die Filmsprache seiner Zeit. Er eliminierte sämtliche überflüssigen Details aus Handlung und Bildern und zeigte in langen Einstellungen manchmal nur die schreibende Hand des Protagonisten.

In »Das Schloß im Spinnwebwald« (1957) übersetzt Kurosawa William Shakespeares »Macbeth« in die japanische Ritterwelt und verbindet westliche Literaturtradition mit ritualisierten Darstellungsmitteln aus dem Nô-Theater zu einem Epos von überwältigender visueller Kraft und kulturübergreifender ethischer Grundproblematik in der Fokussierung auf den Kampf um Macht und die Unterdrückung von Machtlosen.

formale Strenge, Konzentration auf das Wesentliche, realitätsgetreue Einfachheit der Bilder setzt und auf emotionalisierende Effekte wie untermalende Musik oder expressive Schauspielkunst verzichtet. Seine Darsteller waren oft Laien, die Bresson wie Bildelemente und nicht wie künstlerisch Mitwirkende behandelte.

Dennoch stehen im Zentrum seiner Geschichten empfindsame Menschen, die im Konflikt mit einer feindlichen Umgebung eine Entwicklung durchmachen oder – v. a. in seinen späteren Filmen – an der Unmenschlichkeit der modernen Gesellschaft verzweifeln und scheitern.

Japan

Als 1951 überraschend ein japanischer Film den Goldenen Löwen von Venedig gewann, richtete sich das internationale Interesse erstmals auch auf Asien. »Rashomon – Das Lustwäldchen« (1950) erhielt 1952 außerdem den Oscar für den besten ausländischen Film und machte seinen Regisseur Akira Kurosawa (*1910) mit einem Schlag weltberühmt. Bis dahin hatte der Westen die reiche Tradition des asiatischen Kinos, das in Japan und Indien hoch entwickelt war, kaum wahrgenommen.

Japan verfügte in den 50er Jahren sogar über den einzigen Filmmarkt, der nicht von Hollywood dominiert wurde. Mit der Verwestlichung der japanischen Kultur, die der Neuaufbau Tokios nach dem großen Erdbeben von 1923 mit sich brachte, hatte sich das Kino spätestens seit den 30er Jahren im japanischen Alltag etablieren können. Das hochstilisierte und in uralten Traditonen verhaftete japanische Theater nahm nur geringen Einfluß auf die Entwicklung des Films.

Von Anfang an wurden vor allem »moderne Filme« (*Gendai-Geki*) gedreht, die sich mit Gegenwartsthemen auseinandersetzen. In den 30er Jahren bezogen die Regisseure dieses Genres eine immer kritischere Haltung zu Korruption und Kapitalismus und stellten traditionelle Werte in Frage. Unter dem Druck der zunehmend reaktionären Politik und der Isolation während des

Zweiten Weltkriegs wichen viele engagierte Künstler auf das weniger verfängliche Genre der historischen Epen (*Jidai-Geki*) aus, behandelten aktuelle Konflikte im Gewand der beim Publikum überaus beliebten Samurai- und Schwertkampfgeschichten.

Mit diesem typisch japanischen Genre behauptete sich das japanische Kino gegen die Überschwemmung mit Hollywoodfilmen während der amerikanischen Besatzungszeit und pflegte eigenständige Erzählweisen und Techniken, die zwar von westlichen Konventionen beeinflußt sind, sich jedoch auch deutlich von ihnen unterscheiden. So überraschte »Rashomon« das westliche Publikum nicht nur durch die Exotik seiner im japanischen Mittelalter angesiedelten Handlung, sondern auch durch den gewagten Umgang mit retrospektiver Erzähltechnik, die die Geschichte um einen Mord an einem Samurai und der Vergewaltigung seiner Frau gleich aus vier verschiedenen Perspektiven präsentiert. Am Ende bleibt offen, wessen Version des Geschehens, die des Banditen, die des Mordopfers, die seiner Frau oder die eines zufälligen Augenzeugen die wahre ist.

Kurosawa gilt als der westlichste unter den japanischen Regisseuren, er selbst streicht den Einfluß hervor, den Regisseure wie Ford, Hawks, Gance, Capra und Wyler auf sein Werk hatten. Einer seiner ersten Welterfolge, »Die sieben Samurai«, die sich opfern, um ein Dorf vor Banditen zu retten, erinnert an den heroischen Humanismus der Westernklassiker. Viele seiner Filme basieren auf Motiven der westlichen Literatur, so »Nachtasyl« (1957) nach Maxim Gorkis gleichnamigem Schauspiel, »Der Idiot« (1951) nach dem Roman von Fjodor Dostojevski und »Ran« (1985) nach William

Kurosawa, der Malerei studiert hatte und zunächst als Illustrator arbeitete, war nicht nur ein großer Erzähler, sondern auch ein virtuoser Techniker. Die für seine Filme so typischen Kampfszenen erhielten ihre besondere Dynamik durch Zeitlupen- und Teleaufnahmen. Seit den 70er Jahren wurde Farbe und damit auch die reiche Ausstattung der Filme zu einem zentralen ästhetischen Gestaltungsmittel. Szene aus »Kagemusha – Der Schatten des Kriegers« (1980).

Kenji Mizoguchi nahm sich in seinen sozialkritischen Gegenwartsfilmen v. a. der Schicksale der unterdrückten japanischen Frauen an, wie z. B. in »Frauen der Nacht« (1948), ein Portrait des Lebens von Prostituierten.

Shakespeares »König Lear«.

Neben Kurosawa gewannen auch andere japanische Regisseure in den 50er Jahren internationalen Ruhm. Kenji Mizoguchi (1898–1956) und Yasujiro Ozu (1903–63), die seit den 20er Jahren zu den wichtigsten Filmkünstlern Japans zählten, drehten in den 50ern eine Reihe von Filmen, die zu Klassikern des Weltrepertoires geworden sind. Ihre Filme wirken japanischer als die Kurosawas, beschäftigen sich ausschließlich mit Stoffen aus japanischer Gegenwart und Vergangenheit und der eigenen kulturellen Tradition. Ihr Stil ist eher meditativ, ihre Bilder entfalten sich in langsamem Tempo und lang gehaltenen Einstellungen, während Kurosawa z. B. für überraschende Wechsel von Zeitlupe und blitzlichtartigen Schnittfolgen bekannt ist.

Indien: Satyajit Ray

Indien kann wie kaum ein anderes Entwicklungsland auf eine lange und fruchtbare Filmgeschichte zurückblicken. Nachdem Lumières Operateure das neue Medium bereits 1896 nach Bombay gebracht hatten, erreichten reisende Kinos bald die kleinsten Dörfer, so daß der Film zur bedeutendsten Unterhaltungsform für die überwiegend analphabetische Masse aufstieg.

Populär waren von Anfang an Filme, deren oberflächliche Plots nach Fabeln aus Rāmāyana und Mahabharata nur einen losen Hintergrund für die

Aneinanderreihung von 16 bis 18 Tanz- und Musiknummern boten. Nach dieser Erfolgsformel, die schon
das indische Theater über Jahrhunderte bestimmte,
werden bis heute unzählige Filme produziert – seit
1971 ist Indien das Land mit der größten jährlichen
Filmproduktion. Allein in der Zelluloid-Metropole
Bombay werden heute jährlich 850 Filme produziert,
»Bollywood« erreicht damit die vierfache Menge der
Jahresproduktion von Hollywood.

Aus der Massenproduktion sind freilich nur wenige
anspruchsvolle Filme hervorzuheben. Internationalen
Ruhm erlangte indische Filmkunst erstmals in den
50er Jahren mit den Werken Satyajit Rays (1921–92),
der, beeinflußt von den italienischen Neorealisten und
Jean Renoir, zu einem wichtigen Chronisten der Veränderungen Indiens zwischen Tradition und der Entwick-

»Die Schachspieler«
(1977) von Satyajit Ray
zeigt zwei indische Ad-
lige im 19. Jahrhundert,
die ob ihrer Leidenschaft
für das Schachspiel
alles um sich herum ver-
gessen und sogar die
britische Besetzung
ihres Landes ignorieren.

lung zu einem modernen kapitalistischen Land wurde.
Als Autor, Komponist und Regisseur in Personalunion
ist Ray ein typischer Autorenfilmer europäischer Prägung – die meisten seiner Filmproduktionen wurden
subventioniert und entstanden unabhängig von kommerziellen Verwertungsinteressen. Auch ästhetisch
erinnern seine Filme wie der neorealistische »Auf der
Straße« (1955), der politische »Tage und Nächte im
Wald« (1969) und das historische Hindu-Epos »Die
Schachspieler« (1977) eher an den europäischen
Kunstfilm als an das kommerzielle hochgradig stilisierte indische Unterhaltungskino.

Im Jahr 1908, als die ersten langen Spielfilme gedreht wurden, kostete die Herstellung eines Features rund 200 Dollar und lag in der Hand eines einzigen Filmemachers, der in der Regel zugleich als Produzent, Autor, Regisseur und manchmal sogar als Kameramann firmierte, die Pre-Production, d. h. das Casting und die Drehbucherstellung, ebenso kontrollierte wie die Post-Production, den Schnitt und die Tricktechnik. Das finanzielle Desaster von Griffith' »Intoleranz« (1916) führte dazu, daß die Geldgeber den Regisseuren die finanzielle Kontrolle entzogen und ihnen einen Executive Producer vorsetzten, der neben ihren Ausgaben auch ihre Arbeitsfortschritte überwachte.

Um die Mitte der 20er Jahre, als Hollywood Filme bereits en masse herstellte, wurden die Arbeitsschritte wie in der industriellen Produktion nach dem Fließbandprinzip aufgeteilt bzw. an Spezialisten vergeben. Dem Regisseur war nun ebenso wie dem Kameramann ein begrenztes Aufgabenfeld und auch nur noch begrenzte Entscheidungsgewalt zugewiesen. Wichtige Funktionen im Produktionsteam nahmen außerdem der Ausstatter, dessen Arbeit der des Bühnenbildners am Theater entsprach, der Kostüm- und Maskenbildner und der Beleuchter ein. Griffith, dem Regisseur des ersten amerikanischen Langfilms, stand auch schon ein Cutter in seinem Produktionsstab

zur Verfügung, der die gedrehten Einstellungen auf die gewünschte Länge schnitt und mit anderen Einstellungen zur endgültigen Fassung des Films zusammenklebte. Die ästhetische Entscheidung, welche Einstellung zu Bildsequenzen zusammengeschnitten werden, die sogenannte Montagearbeit, gehörte hingegen zum klassischen Aufgabengebiet des Regisseurs, der, wie z. B. Sergej Eisenstein, der Pionier der Filmmontage, oft auch den handwerklichen Schnitt selbst besorgte.

Viele neue Berufsbilder entstanden in der Folge von technischen Fortschritten. Erst die Einführung des Tonfilms und damit der Filmdialoge machte z. B. die Mitarbeit eines Drehbuchautors notwendig. Während der Stummfilmzeit hatte kaum ein Regisseur nach einer schriftlichen Vorlage, die über eine kurze Handlungsskizze hinausging, gearbeitet. Autoren wurden bestenfalls als Ideenlieferanten beschäftigt. Besonders die Stummfilmkomiker, die ihre Slapsticks auf dem Set zu improvisieren pflegten, lehnten Drehbuchvorgaben, die ihre Spontaneität hätten einschränken können, rigoros ab.

Die Mitarbeit möglichst renommierter Autoren aus dem Theater oder dem Literaturbetrieb trug nicht nur dazu bei, das Ansehen der Filmkunst aufzuwerten, sondern gewährte zugleich den Produzenten mehr Kontrolle über die Herstellung, die bei wachsenden Kosten schließlich auch immer größere finanzielle Risiken für die Filmgesellschaften mit sich brachten. Je aufwendiger und teurer die Produktionen, desto mehr wurde die künstlerische Freiheit der Filmemacher eingeschränkt. Die Regisseure, die immer mehr zu spezialisierten Handwerkern in einem wachsenden Produktionsteam degradiert wurden, waren im besten Fall beteiligt an künstlerisch bedeutenden, letztlich jedoch von Produzenten und Geldgebern getroffenen Entscheidungen über die Besetzung und den letzten Schnitt. Bis heute gilt es als besonderes Privileg, wenn ein Regisseur sich das Recht des *final cut* vorbehalten kann, und als cineastisches Event, wenn der *director's cut*, die vom Regisseur autorisierte Fassung, nachträglich in die Kinos kommt. So überraschte Ridley Scott 1993 das Publikum mit seinem *director's cut* von »Der Blade Runner« (1982): Der störende Off-Kommentar der Erstfassung war getilgt und das aufgesetzt wirkende Happy-End durch einen offenen Ausgang ersetzt.

Nach dem Niedergang der großen Studios, in denen Stars und Regisseure genauso zum festen Ensemble gehörten wie die technischen Mitarbeiter und sich dementsprechend der Macht der Tycoons auf Gedeih und Verderb ausgeliefert hatten, gewannen die selbständig operierenden Künstler wieder größeren Einfluß auf die Filmarbeit. Durch das Entflechtungsurteil von 1948, das den Studios die Kontrolle über den Vertrieb entzog, erhielten Regisseure wie Schauspieler die Chance, auch ohne die Zustimmung der ›Majors‹ Filme zu produzieren und diese in allen Kinos vorzuführen. Selbst wenn sie weiter für die Studios arbeiteten, konnten sie nun höhere Honorare und größeren Einfluß auf die Gestaltung der Fil-

Zur Pre-Production gehört neben dem Casting der Künstler und dem Engagement der technischen Crew ganz wesentlich der Erwerb eines erfolgversprechenden Stoffes und die Herstellung eines guten Drehbuchs. Ein ganzes Team erarbeitet in der Regel die Drehvorlage vom Exposé über das Treatment bis zum Szenarium und teilt sich die Arbeit nach Spezialgebieten wie Liebes- oder Actionszenen auf. Für Animationsfilme und Filme mit einem hohen Aufwand an Special Effects wie »Jurassic Park« werden außerdem gezeichnete Storyboards angefertigt.

Auf dem Set beschäftigt der Regisseur an einem Drehtag manchmal bis zu 100 Mitarbeitern: vom Aufnahmeleiter bis zu den Kameraleuten, Kamerakranführern, Beleuchtern, Lichtdoubles und Tontechnikern, von den Ausstattern, Kulissenbauern und Requisiteuren bis zu den Garderobieren, Haar-Stylisten und Maskenbildnern, vom Tiertrainer bis zum Pressebetreuer, vom Stuntman bis zur Aufsichtsperson für minderjährige Darsteller, die alle selbstverständlich ihre Assistenten zur Seite haben.

me einfordern. Alfred Hitchcock trennte sich bereits 1947 von seinem Produzenten David O. Selznick und produzierte bis 1960 jährlich einen Film, bei dem er selbst Regie führte. Er kaufte sich die Rechte an Storys, engagierte seine Schauspieler vom freien Markt und verfügte über einen festangestellten Mitarbeiterstab. James Stewart gelang es als erstem Schauspieler, mit seinem Studio Universal eine Gewinnbeteiligung auszuhandeln, was in den 50er Jahren noch eine Sensation war.

Mit den Stars kamen auch ihre Agenten zu Einfluß in Hollywood, denn sie führten die Verhandlungen mit den Filmgesellschaften. Ihre Macht wuchs mit der Anzahl der berühmten Schauspieler, Regisseure und Drehbuchautoren, die sie gleichzeitig vertraten und möglichst nicht einzeln, sondern in sogenannten *package deals* bei einer Filmproduktion unterzubringen suchten. Heute sind es vor allem unabhängige Produzenten, die für die in großen Medienkonzernen aufgegangenen Studios eine bestimmte Anzahl von Filmen in einem vorher festgelegten Kostenrahmen herstellen.

Zur Sicherung der Finanzierung schließen die sich alle Rechte vor-

behaltenden Filmgesellschaften gleichzeitig Verträge mit Investmentfonds, die zunächst für die Produktionskosten aufkommen und dafür innerhalb eines begrenzten Zeitraums von circa fünf Jahren an den Gewinnen beteiligt werden. Spielt der Film während der Laufzeit dieser Verträge seine Produktionskosten nicht ein, zahlt das Studio den Geldgebern, nach Abzug einer vorher festgelegten Summe für die Projektentwicklung, ihre Investition zurück.

Die Höhe der Budgetierung für einen Film hängt ganz entscheidend von der Attraktivität des vom Produzenten geschnürten Pakets aus einem erfolgversprechenden Stoff, einem bewährten Drehbuchautor, den populärsten Stars und einem ebenso berühmten wie versierten Regisseur, der das ganze Team zu Höchstleistungen antreiben kann, ab. Dabei wird inzwischen nicht mehr nur das künstlerische Personal vom freien Markt engagiert. Der Produzent least oder kauft für jedes einzelne Projekt auch das technische Equipment und verpflichtet Kamerateams, Techniker, Cutter, Ausstatter und Special-Effects-Experten von unabhängigen Firmen,

Produktion

die auf einem möglichst hohen Niveau arbeiten.

Wer heute einen Blockbuster erzielen will, der unter die All-Time-Tops vorstößt, muß um die 100 Mio. Dollar in eine Produktion investieren. Das ist zumindest nötig, wenn das Buch nach der Vorlage eines Bestseller-Romans von einem Autor wie Michael Crichton (»Jurassic Park I+II«, 1993/1997) verfaßt sein soll; ein Star wie Tom Hanks (»Forrest Gump«, 1993), Arnold Schwarzenegger (»Der Terminator I+II«, 1984/1990) oder Tom Cruise (»Mission: Impossible«, 1996) für die Hauptrolle vorgesehen ist und man die Regie, wenn schon nicht Steven Spielberg, so doch wenigstens einem seiner Protegés wie Robert Zemeckis (»Zurück in die Zukunft I–III«, 1986–1990), einem der vielversprechenden Jungtalente wie Roland Emmerich (»Independence Day«, 1995) oder dem nicht gerade für Selbstbescheidung be-

kannten James Cameron (»Titanic«, 1997) übertragen will. Wer dann noch mit den Trendsettern im Special-Effects-Geschäft, George Lucas' Firma Industrial Light & Magic, zusammenarbeitet, kann beinahe von einem sicheren Erfolg ausgehen.

Daß Publikumsreaktionen und künstlerische Leistung doch nicht zu 100 % kalkulierbar sind, zeigten legendäre Flops wie »Cleopatra« mit Elizabeth Taylor, der bei einem Produktionsetat von 44 Mio. Dollar immerhin noch 34 Mio. einspielte, während Michael Ciminos ebenso teurer »Heaven's Gate« nur auf etwa 1,5 Mio. Dollar Einnahmen kam. Der größte Flop der Filmgeschichte, »Waterworld« mit Kevin Costner als Regisseur und Hauptdarsteller, wird seine 170 Mio. Dollar Herstellungskosten nach einem außergewöhnlich schlechten Start im Sommer 1995 wohl kaum noch einspielen können.

Die Einführung des Computers in die Post-Production-Phase hat die Arbeit im Studio revolutioniert: Man spart enorm Zeit und kann mehrere Schnittversionen zugleich herstellen und vergleichen. Das Filmnegativ selbst wird erst nach der Vorlage am Computer geschnitten. Besonders die neuen technischen Möglichkeiten der Computeranimation zur Herstellung von Special Effects, die im Verfahren des Digital Composing mit Realfilmszenen kombiniert werden können, sind beeindruckend.

Zwischen Neuorientierung und Tradition

In den 60er und 70er Jahren wurde die Welt von einer kulturellen und politischen Aufbruchstimmung erfaßt, und ein umfassender Wertewandel leitete sich ein. In den USA gab die Bürgerrechtsbewegung den Anstoß zu einer Verschiebung in der gesellschaftlichen Rangordnung zwischen kulturellen Minderheiten und der weißen anglo-amerikanischen Mehrheit. Mit dem Engagement gegen die Diskriminierung v. a. der Afroamerikaner, aber auch von soziologischen Minderheiten wie Frauen und Kindern, mit dem Protest gegen Imperialismus und den Demonstrationen für Frieden und freie Liebe nahm die Gesellschaft nach und nach Abschied von überkommenen Moral- und Wertvorstellungen.

Dieser Liberalisierung der westlichen Welt entsprach eine begrenzte ›Tauwetterperiode‹ in den Staaten des Ostblocks, wo große Teile der Bevölkerung die Demokratisierung des Sozialismus einforderten.

Die Umwälzungen gingen von Jugendlichen aus, deren Auflehnung gegen die Werte ihrer Eltern den Rahmen eines gewöhnlichen Generationenkonflikts sprengte. Die junge Gegenkultur der 60er Jahre war ein internationales Phänomen und fand ihren Ausdruck in der weltweit verbreiteten Rock- und Popmusik, der unkonventionellen Mode, der sexuellen Revolution, dem Experimentieren mit bewußtseinserweiternden Drogen und der Erprobung neuer Lebens- und Arbeitsgemeinschaften.

Eine Politisierung erfuhr die Rebellion der westlichen Jugend mit der Studentenrevolte, die nicht nur den »Muff von tausend Jahren« in der universitären Ausbildung anprangerte, sondern sich als Keimzelle einer Bewegung verstand, die – von Intelligenz und Arbeiterklasse gleichermaßen getragen – Kapitalismus und Imperialismus durch Sozialismus, Frieden und eine gerechtere Verteilung des Weltvermögens ersetzen sollte.

Der Traum von einer neuen aufgeklärten, gerechten und freien Welt zerplatzte jedoch überraschend schnell:

Das Scheitern alternativer Lebensentwürfe in der von wirtschaftlicher Rezession und restaurativer Stimmung geprägten Zeit führte die erwachsen gewordenen 68er in den 70er Jahren entweder auf den resignativen »Marsch durch die Institutionen« oder in den destruktiven Terrorismus, der das Wiedererstarken reaktionärer, antisozialer und militaristischer Kräfte beschleunigte, statt es zu verhindern.

Kino im Aufbruch

Spätestens seit den 60er Jahren mußte das Kino seine Position in einer umstrukturierten Medienlandschaft, in der nun das Fernsehen als Hauptfreizeitvergnügen der Massen dominierte, neu definieren und behaupten. Hatten die Werke einiger ausgewiesener Regiekünstler bereits in den 50er Jahren eine Bresche für die Filmkunst in das kommerzialisierte Mainstream-Angebot der Kinos schlagen können, so kam es in den 60er Jahren zu einer regelrechten Häufung von Filmkunstbewegungen, die sich vornahmen, mit den als »Papas Kino« geschmähten Konventionen herkömmlichen Filmschaffens gründlich aufzuräumen und das Ansehen des Mediums Film als eigenständige und den traditionellen Gattungen gleichwertige Kunstform zu stärken.

Die neue Generation von Filmemachern, die sich zu diesen Bewegungen zusammenschlossen, waren keine Autodidakten mehr, sondern hatten qualifizierte handwerkliche und theoretische Ausbildungen an den inzwischen in verschiedenen europäischen Ländern gegründeten nationalen Filmakademien genossen. Dort hatten sie die Filme und Arbeitsweisen ihrer großen Vorbilder, der deutschen Expressionisten, der amerikanischen Meister des Genrefilms und der italienischen

Ein wichtiger Einfluß der Bürgerrechtsbewegung auf den amerikanischen Film war die Erkenntnis, daß das Kino Realität nicht nur spiegelt, sondern prägt, indem es sexistische und rassistische Ideologien verbreitet und zementiert. Afroamerikanische Schauspieler wurden z. B. bis in die 60er nur in unterwürfigen oder komischen Rollen besetzt und durften ausschließlich Figuren spielen, bei denen die Zugehörigkeit zu ihrer Rasse dramaturgisch notwendig war. Einer der ersten afroamerikanischen Stars war Sidney Poitier (*1927), der in »In der Hitze der Nacht« (1966) einen Detektiv spielt, der des Mordes angeklagt wird.

»Wie haben Sie es gemacht, Mr. Hitchcock?« fragte einer der führenden Kritiker und Regisseure der französischen Nouvelle vague, François Truffaut (1932–84), den Meister der filmischen Codes. Das in Buchform veröffentlichte Interview dokumentiert die große Verehrung der Kino-Erneuerer für die Auteurs des Hollywoodkinos, dessen Konventionen sie beherrschen wollten, um sie brechen zu können.

Neorealisten intensiv studiert und verfügten über einen profunden Schatz an spezifisch filmischen Codes, mit denen sie je nach Bedarf spielen oder brechen konnten. Die »Neuen Wellen«, das »Freie Kino«, »Neue Kino« und das »Junge Kino« brachten schließlich ein ganz anderes, überwiegend junges Publikum in die Filmtheater.

Für die Jugendlichen der 60er und 70er Jahre wurde der Kinofilm zum am meisten oder sogar ausschließlich rezipierten künstlerischen Medium: Mit Filmkunst setzten sie sich weit häufiger auseinander als mit den traditionellen Kunstformen Theater, Literatur oder der bildenden Kunst. Das in den »Sad Sixties«, der langweiligsten Phase der amerikanischen Filmgeschichte, völlig heruntergekommene Hollywoodkino, konnte ab Mitte der 70er Jahre nicht zuletzt deswegen seine führende Position auf dem Weltmarkt zurückerobern, weil es die Impulse und Innovationen dieser Filmkunstbewegungen absorbierte.

Frankreich: Nouvelle vague

Das Streben nach einem grundlegenden thematischen und ästhetischen Neuanfang machte sich am stärksten in Frankreich bemerkbar, wo Kulturpolitik und Filmwirtschaft zukunftsbewußt auf den experimentierfreudigen und künsterlich ambitionierten Nachwuchs setzten. Die Einrichtung eines staatlichen Filmförderungsfonds trug dazu ebenso bei wie das Engagement risikobereiter unabhängiger Produzenten und das Heranwachsen einer breiten Abspielbasis von über 400 Filmkunstkinos.

Die Bewegung der Nouvelle vague selbst ging schließlich von André Bazins filmtheoretischer Zeitschrift »Cahiers du Cinéma« aus, in der sich eine Gruppe junger Kritiker mit der Ästhetik und Geschichte des Films auseinandersetzte. Aus der Anschauung der Filmklassiker, der Analyse des Film noir und der Altmeister wie Renoir, Lang und Hitchcock gewannen sie das Rüstzeug, das perfekte, aber langweilige »Cinéma de qualité« ihrer Zeitgenossen zu kritisieren.

Den Ton gab der begeisterte Filmfan François Truffaut an: Er geißelte das herrschende Kino als eines der festgefahrenen Konventionen und massenhaft reproduzierten Illusionen und forderte statt dessen das filmische Experiment ein. Truffaut propagierte ein »unperfektes Kino der Autoren«, das den persönlichen Stil und die individuelle Weltsicht seiner Schöpfer, der Regisseure, nicht länger leugnen, sondern zum Markenzeichen erheben sollte. Die Autoren des Kinos, so Truffaut, müßten von der Literatur lernen, statt sie zu imitieren, und an der Erweiterung und Erneuerung der spezifischen ästhetischen Mittel ihres Mediums, d. h. an einer »Ecriture filmique«, arbeiten. 1959 stellte er mit »Sie küßten und sie schlugen ihn« den Prototyp der neuen Filmkunst vor, der auf Anhieb die Goldene Palme gewann und als Kassenerfolg den Weg für weitere Projekte seiner Nouvelle-vague-Kollegen ebnen half. Der autobiographisch geprägte erste Film aus Truffauts Antoine-Doinel-Zyklus prangert die Gleichgültigkeit und die willkürlichen Erziehungsmethoden einer Erwachsenengeneration an, die so sehr mit ihren eigenen Defiziten beschäftigt ist, daß sie den Bedürfnissen ihrer Schutzbefohlenen hilf- und ratlos gegenübersteht.

Seine beiden folgenden Filme, ein parodistischer Krimi im Stil des Film noir (»Schießen Sie auf den Pianisten«, 1959/60) und die ebenso poetische wie tragische Geschichte einer Liebe zu dritt (»Jules und Jim«, 1961/62) nehmen die wichtigsten Themen des neuen französischen Films vorweg.

Die Nouvelle vague war allerdings keine besonders einheitliche Bewegung oder gar Schule. Die Kritiker, die kurz nacheinander als Regisseure debütierten, verstanden sich vielmehr als autonome künstlerische Persönlichkeiten und beschritten bald eigene künstlerische Wege. Dem gesellschaftskritischen Kriminalfilm sollte sich vor allem Claude Chabrol (*1930) widmen,

Die Besetzung der Rolle des auf die schiefe Bahn geratenen Jugendlichen Antoine mit Jean-Pierre Léaud (*1944) erwies sich als Glücksfall für Truffauts frühes Meisterwerk »Sie küßten und sie schlugen ihn«. Léaud erlangte auf Anhieb Starruhm und wirkte seitdem an vielen bedeutenden Filmen mit, u. a. unter der Regie von Godard, Pasolini, Cocteau und Bertolucci.

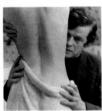

Eric Rohmers Film »Die Liebe am Nachmittag« (1972) ist der letzte in einer Reihe von sechs »Moralischen Geschichten«, die jeweils eine neue Variation der alten Geschichte vom Mann zwischen zwei Frauen zeigen. Rohmer setzte das von ihm geschaffene Subgenre in den 80er Jahren erfolgreich mit der Serie »Komödien und Sprichwörter« fort. Sein Stil ist bis heute unverwechselbar: Statt Handlungen zeigt er Menschen, die sich über die Liebe unterhalten; seine Portraits sind äußerst intelligent, sensibel, zwar ironisch distanziert, aber niemals respektlos.

dessen Debütfilm »Schrei, wenn du kannst« (1958) zu den kommerziell erfolgreichsten der Nouvelle vague zählte, während Eric Rohmer (*1920) immer wieder Männer und Frauen auf der Suche nach Glück und im verzweifelten Ausbalancieren zwischen Verstand, Emotionen und erotischen Trieben portraitierte. Jacques Rivette (*1928) experimentierte mit Mischungen aus Spiel- und Dokumentarfilmen, arbeitete – vom Theater inspiriert – in seinen oft überlangen Filmen mit Improvisation und definierte Film eher als ein System aus Zeichen als einen narrativen Prozeß.

Den extremen Gegenpol zu den Filmen Truffauts markiert innerhalb der Nouvelle vague das Werk Jean-Luc Godards, der zweiten Schlüsselfigur der Bewegung. War dem einen vor allem an einer Verjüngung und Erneuerung der traditionellen Filmkunst gelegen, so arbeitete der andere konsequent an einer Neudefinition von Filmstruktur und Filmstil. Als der provokativste und innovativste unter den Protagonisten der Nouvelle vague brach Godard mit filmischen Konventionen, gab im Laufe seines Schaffens schließlich den fiktionalen Handlungszusammenhang völlig auf und wandte sich der Form des Filmessays zu. Bereits in seinem ersten Spielfilm – »Außer Atem« (1959) – stellte er die festen Sehgewohnheiten seines an formale Perfektion gewöhnten Publikums durch die Verletzung filmischer Konventionen auf eine harte Probe. Diese Huldigung an den Film noir ist gegen die Lehrbuchregeln mit zahlreichen *jump-cuts* geschnitten, d. h., er läßt innerhalb einer Einstellung immer wieder Bilder weg, so daß das Publikum denkt, der Film springe,

Claude Lelouchs »Ein Mann und eine Frau« gewann 1966 die Goldene Palme von Cannes und begeisterte weltweit Publikum wie Kritiker. Lelouch zeichnete nicht nur für Produktion, Drehbuch und Regie, sondern auch für Kameraarbeit und Schnitt verantwortlich. Der Film erzählt mit expressiven Mitteln (virtuos eingesetzten Farbeffekten, Tönen und Bildkompositionen) eine ihrer banale Lovestory: Die »Handschrift« des Autors war für den Erfolg wichtiger als die Geschichte.

und das Gefühl dafür verliert, wieviel erzählte Zeit eigentlich während der Einstellung vergeht. Auffällig ist der Verzicht auf Atelier-Technik, Stative, Kräne und Schienen und das Drehen mit der flexibleren Handkamera an Pariser Originalschauplätzen.

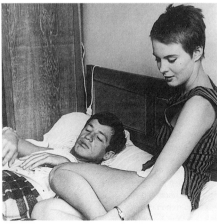

Das halbdokumentarische Einbrechen des uninszenierten Alltags ist übrigens ein Stilmittel vieler Filme der Nouvelle vague. Der Kameramann Raoul Coutard (*1924), der nach dem Erfolg von »Außer Atem« zu einem der gefragtesten Mitarbeiter der Nouvelle-vague-Regisseure wurde, brachte die Ästhetik des Cinéma vérité, des fortschrittlichen französischen Dokumentarfilms der 60er Jahre, in die Spielfilmarbeit ein. Nach einer Reihe von Filmen, die sich um die Schwierigkeiten des Zusammenlebens zwischen Männern und Frauen drehten (z. B. »Die Verachtung«, 1963) und sich dabei stärker auf den Mechanismus des Erzählens als auf die Geschichte selbst fokussierten, wandte sich der unorthodoxe Marxist Ende der 60er Jahre von der Analyse filmischer Formen ab und setzte sich in »Die Chinesin« (1967) und »Week-End« (1967) mit politischen Fragen auseinander.

Der Nouvelle vague setzte jedoch bereits ein Streit zwischen seinen Protagonisten Godard, der sich für

Der außergewöhnliche Erfolg von »Außer Atem« machte Jean-Paul Belmondo (*1933) über Nacht zu Frankreichs Kinoliebling. Der Film erzählt die Geschichte eines kleinen Ganoven, der im Bemühen, sein Kinoidol Humphrey Bogart nachzuahmen, den Kontakt zur Wirklichkeit zunehmend verliert und – nachdem seine Freundin ihn verrät – auf der Flucht vor der Polizei einen vermeintlichen Kino-Heldentod stirbt.

Obwohl sich Jean-Luc Godard (*1930) während der 70er Jahre fast für ein ganzes Jahrzehnt vom Kino distanzierte und statt dessen mit Fernsehfilmen und dem neuen Medium Video experimentierte, hat er das moderne Kino wie kaum ein anderer beeinflußt. Erst in den 80er Jahren kehrte der Protagonist der Nouvelle vague zum Kino zurück und beeindruckte mit seiner so intelligenten wie sinnlichen Reflexion über die Sprache der Bilder und das komplexe Geschäft des Filmemachers und Illusionsverkäufers in Filmen wie »Passion« (1982), »Glanz und Elend eines kleinen Kinounternehmens« (1984) und »Nouvelle Vague« (1989).

Wichtige Impulse fürs moderne Kunstkino gingen von Alain Resnais aus, der den avantgardistischen Literaten des Nouveau roman näherstand als der Nouvelle vague. In »Hiroshima, mon amour« (1959) verknüpft er die Liebe einer Französin zu einem Japaner mit dem atomaren Genozid. Der Film ging äußerst innovativ mit der kontrapunktischen Balance von Worten, Musik und Bildern um und vermischte die Zeitebenen, indem er einzelnen Szenen einer früheren Liebe der Heldin zu einem deutschen Besatzungsoffizier nicht von den Bildern aus dem ›Jetzt‹ der Geschichte unterschied.

Der Wechsel von der schwerfälligen 35-mm-Apparatur zur beweglicheren 16-mm-Kamera erlaubte den Regisseuren des Free Cinema, viele Einstellungen an realen städtischen Schauplätzen zu drehen, so daß die Industrielandschaften von Manchester und Salford zu wichtigen Bestandteilen des neuen Realismus wurden. Szene aus »Die Einsamkeit des Langstreckenläufers«.

die Studentenrevolte engagierte, und dem immer mehr zum Mainstream-Kino tendierenden Truffaut auf dem Festival von Cannes 1968 ein frühzeitiges Ende.

England: Free Cinema

Eine nachhaltige Belebung für das englische Kino ging von einer Gruppe junger Künstler aus, die zwischen 1956 und 1959 unter dem Titel Free Cinema sechs Programme mit sozialdokumentarischen Kurzfilmen im Londoner National Film Theatre vorstellten.

Das British Film Institute unterstützte Produktion und Präsentation der Programme, die neben Filmen junger englischer Regisseure wie Tony Richardson (1928–91), Karel Reisz (*1926) und Lindsay Anderson (*1923) auch Filme aus Frankreich, Amerika und Polen einer größeren Öffentlichkeit zugänglich machen sollten – darunter u. a. die des Polen Roman Polanski.

Theoretische Manifeste begleiteten die Rebellion gegen die Zwänge des kommerziellen und konservativen Kinobetriebs. Die Filmemacher versuchten eine Neubestimmung der gesellschaftlichen Verantwortung des Künstlers und forderten ein Kino, das sich den

Problemen des Alltags vor allem der Arbeiterklasse stellt. Im Gegensatz jedoch zum britischen Dokumentarfilm der 30er und 40er Jahre, der sich mit der Veränderung der Arbeitswelt durch die zunehmende Technisierung beschäftigt hatte, interessierte sich die Free-Cinema-Bewegung besonders für die in der von sozialem Wandel geprägten neuen Überflußgesellschaft entstehenden jugendlichen Subkultur.

Nach dem Erfolg der halbdokumentarischen Kurzfilme wandten sich die führenden Regisseure des Free Cinema bald der Spielfilmproduktion zu. Inspiriert wurden sie ganz wesentlich von der zeitgenössischen Literatur der »Angry Young Men«, den unbeschönigten Ausschnitten »wirklichen Lebens« aus der Feder Alan Sillitoes, John Osbornes u. v. a. Nach den Londoner Bühnen zeigten nun erstmals auch die Kinos Menschen, die sich ihren Lebensunterhalt erarbeiten müssen, miteinander schlafen und sich betrinken.

Lindsay Andersons Kurzfilm »Thursday's Children«, der 1954 einen Oscar gewann, portraitiert den Alltag tauber Kinder.

Nach einer kurzen New Wave mit bemerkenswerten Verfilmungen sozialkritischer Literatur wie z. B. »Blick zurück im Zorn« (1959) nach John Osborne und »Die Einsamkeit des Langstreckenläufers« (1962) nach Alan Sillitoe (beide unter der Regie von Tony Richardson) oder Karel Reisz' Publikumserfolg »Samstagnacht bis Sonntagmorgen« (1960), ebenfalls nach Sillitoe, verschwammen die Grenzen des Free Cinema zur kommerziellen Spielfilmproduktion. 1964 wurde der produktivste Regisseur der Gruppe, Tony Richardson, für seinen Kassenknüller »Tom Jones – Zwischen Bett und Galgen« (1962, nach Fielding), einer turbulenten und sinnenfreudigen Parodie auf den klassischen Abenteuerfilm, mit einem Oscar ausgezeichnet.

Off-Hollywood

Im amerikanischen Kino war Hollywood stets so dominant, daß die in den 60er Jahren besonders aktive Avantgarde kaum wahrgenommen wurde. Die Filmer, die sich in New York zur sogenannten Underground-Bewegung formierten, einte weniger ein gemeinsamer Stil als die Notwendigkeit, sich gegen Zensur, Polizei-Razzien und die Verunglimpfung durch die Presse zu solidarisieren. Selbst zahme Filme mußten mitunter heimlich vorgeführt werden, denn immer wieder beschlagnahmte die Polizei experimentelle und politische Streifen und nahm die Organisatoren der Aufführungen fest.

Zu den berühmtesten der zensierten Filme des Underground gehörte Jack Smith' »Flaming creatures« (1963), der eine rauschende Orgie mit wenigen Frauen und vielen Transvestiten in einem Manhattaner Kaufhaus inszeniert. Die New Yorker Polizei vernichtete jede Kopie des Films, die ihr in die Hände fiel. Jahre später diente er als Anschauungsmaterial in einem Prozeß gegen die Filmzensur.

Was ließ die Arbeit der Avantgarde in den Augen der Hüter von Moral und Gesetz so verdächtig und gefährlich erscheinen? Die jungen Ostküsten-Regisseure, die in Filmclubs und Kunstkinos den europäischen Kunstfilm schätzen gelernt hatten, waren aufgebrochen, die Geschmacksindustrie Hollywoods und deren sittenwidriges Kinomonopol mit provokanten und innovativen Filmen zu unterwandern.

An der Westküste bekam in den 60ern kein noch so begabter Außerseiter eine Chance. Das handwerklichglatte Massenkino wurde in Hinblick auf möglichst große Breitenwirksamkeit immer weiter standardisiert, ästhetische Neuerungen schienen den Produzenten zu riskant. »Wir wollen keine falschen, polierten, glatten Filme – wir wollen sie rauh, unpoliert, aber lebendig. Wir wollen keine Filme in Rosa – wir wollen sie in der Farbe des Blutes!« proklamierte die New American Cinema Group, die sich gegen Ende der 60er Jahre gründete, um Finanzierung und Vertrieb abendfüllender Experimentalfilme voranzutreiben.

Shirley Clarkes »Cool World« (1963) portraitiert das Überleben jugendlicher Krimineller im schwarzen New Yorker Ghetto Harlem.

Die Avantgarde teilte sich in zwei Richtungen. Eine Gruppe von Filmern blieb dem narrativen Spielfilm treu und arbeitete an einem neuen Realismus, der das falsche Kinobild Amerikas und seiner Bürger aus der Hollywoodschablone zurück ins wirkliche Leben holen wollte. Ihre Filme zeigten ein schmutziges Amerika und scheuten den sozialkritisch engagierten Blick auf die Schattenseiten der freien Marktwirtschaft nicht.

Lionel Rogosin (*1924) portraitierte in »Die Bowery« (1955) die berüchtigte New Yorker Straße der Ausgestoßenen und Gescheiterten, Shirley Clarke (*1925) verfilmte in »The Connection« (1960) ein Stück des Living Theatre über schwarze Junkies. John Cassavetes (1929–89), der wohl bekannteste Regisseur des Underground, prangerte in »Schatten« (1960) rassistische Diskriminierung im Alltag an. Der Film reüssierte auf zahlreichen Festivals und wurde sogar ein kommerzieller Erfolg.

Unter dem Einfluß der Avantgarde in Literatur, Theater, Neuer Musik, Performance und Happings verhalf eine andere Gruppe von Underground-Filmern dem abstrakten, absoluten »Film als Film« zu einer Renaissance. Prominentester Vertreter war Andy Warhol (1927–87), der Star der Pop-art-Bewegung. Seine statischen Filme zeigten stundenlange Einstellungen z. B. auf einen schlafenden Mann in »The Sleep« (1963) oder das Empire State Building in »Empire« (1964). In späteren Filmen durchbrach er diese hermetische Ästhetik und provozierte mit ironisch pointierten, obsessiv pornographischen Kurzfilmen wie »Kiss« (1963), »Blow Job« (1964) und »Fuck« (1968).

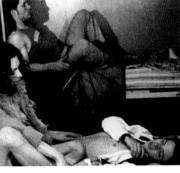

In seinen späten Filmen wie z. B. »Flesh« (1968) trat Warhol nur noch als Produzent in Erscheinung, Regie führte Paul Morrissey. Der Film zelebriert einen fröhlichen Exhibitionismus zwischen Homo-, Hetero- und Bisexualität und einen freimütigen Umgang mit Drogen, ist konventioneller gemacht und wurde zu einem Kassenerfolg.

Sozialkritischer Realismus, die drastische Darstellung von Sexualität und der Nihilismus abstrakter »Anti-Action« – alle Erscheinungsformen des Underground-Kinos zeigten Seiten amerikanischer Wirklichkeit, die Hollywood konsequent ignoriert hatte. Die offene Feindseligkeit gegenüber der Underground-Bewegung belegt, wie sehr das Anti-Kino mit der wirklichkeitsfernen Ästhetik der Traumfabrik zugleich auch die Grundüberzeugungen Amerikas angriff: den unerschütterlichen, tief in der Gesellschaft der USA verwurzelten Glauben an den »amerikanischen Traum«.

Alexander Kluge (*1932), der kulturpolitische Kopf des Autorenfilms, ist bis heute unermüdlichster Vorkämpfer für eine kritische Film- und Fernsehkunst in Deutschland. In seinen Filmen bedient er sich einer unkonventionellen ›offenen‹ Erzählform, die eine geistige Eigenbeteiligung der Zuschauer herausfordert, und nimmt Stellung zur politischen Situation in der Bundesrepublik wie z. B. in seinem 1968 in Venedig prämierten Film »Die Artisten in der Zirkuskuppel: ratlos« (1968), einer Absage an das Leistungsprinzip in unserer Gesellschaft.

Das Oberhausener Manifest

Faschismus und Krieg hatten in Deutschland zunächst zum abrupten Ende künstlerischer Entwicklung und schließlich zur völligen Zerschlagung der existierenden Filmindustrie geführt. Produktionsstätten und Filmtheater waren zerstört, das Personal politisch belastet. Mit der allmählichen Wiederaufnahme der Produktion möglichst unpolitischer Unterhaltungsfilme – Operetten, Gesellschaftskomödien, der Arzt-, Künstler- und überaus populären Heimatfilme – konnte die deutsche Filmwirtschaft zwar den heimischen Markt befriedigen, nicht jedoch auf dem internationalen Markt konkurrieren.

Als die Fernsehkrise Ende der 50er Jahre auch die deutsche Filmindustrie erheblich schwächte, sprang die westdeutsche Regierung mit Subventionen, Steuernachlässen und günstigen Krediten in die Bresche. So kam der Crash der kommerziellen Filmproduktion indirekt einer neuen Generation von Filmemachern zugute, die sich vorgenommen hatten, dem vorherrschenden Mittelmaß und der ungebrochenen Blut-und-Boden-Ideologie der Heimatfilme eine Alternative entgegenzusetzen. 1962 unterzeichneten auf den Oberhausener Kurzfilmtagen 26 junge, von der Nouvelle vague inspirierte Regisseure ein Manifest, in dem sie »Papas Kino« für tot erklärten und den Anspruch erhoben, »den neuen deutschen Spielfilm zu schaffen. Dieser neue Film braucht neue Freiheiten. Freiheit von den branchenüblichen Konventionen. Freiheit von der Beeinflussung durch kommerzielle Partner. Freiheit von der Bevormundung durch Interessengruppen. Wir haben von der Produktion des neuen deutschen Films konkrete geistige, formale und wirtschaftliche Vorstellungen.«

Die Voraussetzungen für die Umsetzung dieser Ziele schuf 1965 die Gründung des »Kuratoriums Junger Deutscher Film«. Mit Steuergeldern in Millionenhöhe wurden die ersten unabhängig produzierten Filme finanziert, und bald stellten sich internationale Erfolge ein: Alexander Kluges »Abschied von gestern« gewann 1966 einen Silbernen Löwen in Venedig, den Spezialpreis der Berliner Filmfestspiele erhielt im selben Jahr Peter Schamonis »Schonzeit für Füchse« (1965/66), und Volker Schlöndorffs »Der junge Törless« (1965) wurde 1967 in Cannes mit dem internationalen Kritikerpreis ausgezeichnet.

Was die Bewegung des »Jungen Deutschen Films« einte, war weniger ein gemeinsamer ästhetischer Stil als die entschlossene Hinwendung zu gesellschaftskritischen Themen. Wie zuvor in England und Frankreich durfte sich nun auch das deutsche Publikum mit der Wirklichkeit auseinandersetzen: Die jungen Filmer beschrieben die Bundesrepublik als ein Land zerrütteter Ehen, reaktionärer Eltern und rebellischer Jugendlicher im verzweifelten Bemühen um die Anpassung an die neue Wohlstands- und Konsumgesellschaft. Spezifisch für die deutschen Autorenfilmer war die Auseinandersetzung mit neuer bundesrepublikanischer Literatur wie den Romanen Bölls und Grass' und der immer wiederkehrenden Frage, inwieweit die faschistische deutsche Vergangenheit in der demokratischen Gegenwart weiterlebte.

»Jagdszenen aus Niederbayern« (Regie: Peter Fleischmann, 1968) ist ein Beispiel für eine Reihe ›linker Heimatfilme‹, in denen junge Autorenfilmer auf provozierende Weise Versatzstücke des populären Genres nutzten, um die deutsche Identität und den Heimatbegriff aus einer kritischen Perspektive zu hinterfragen.

Die kritische Distanz zur abgebildeten Realität suchten die Filmer durch Brüche in den Konventionen der filmischen Narration herzustellen. Vor allem Alexander Kluge und Jean-Marie Straub (*1933) experimentierten in ihren Filmen mit offenen und spielerischen Formen, setzten Off-Kommentar und Zwischentitel als Verfremdungseffekte ein und schnitten dokumentarische und fiktive Szenen in assoziativen Montagen gegeneinander. Sie verknüpften Szenen aus Gegenwart und Vergangenheit nicht zu kausalen oder chronologischen Handlungsabfolgen, sondern stellten sie unmittelbar nebeneinander, womit sie ihrem Publikum eine nicht unerhebliche sinnkonstruierende Eigenleistung abverlangten.

Die Terrorismus-Debatte der 70er Jahre spiegelt sich in Filmen wie »Die verlorene Ehre der Katharina Blum« (1975) von Volker Schlöndorff (*1939) und Margarethe von Trotta (*1942), der Geschichte eines unpolitischen und wehrlosen Dienstmädchens, das aufgrund seiner Bekanntschaft mit einem vermeintlichen Terroristen zum Opfer von Polizei, Justiz und skrupelloser Sensationspresse wird.

Neuer Deutscher Film

Gegen Ende der 60er Jahre trat eine zweite Generation von Regisseuren hervor, die den sozialkritischen Impetus des »Jungen Deutschen Films« fortsetzten und ihn als Teil der entstehenden Gegenkultur und Neuen Linken radikalisierten.

Einen Höhepunkt erreichte das politische Engagement 1978 mit dem kollektiven Projekt »Deutschland im Herbst«. Neun Regisseure reagierten in dieser Zusammenstellung von Kurzfilmen auf die Stimmung in der BRD nach der Schleyer-Entführung und den Selbstmorden der in Stammheim inhaftierten Terroristen. Der Film exemplifiziert die Abkehr der Linken vom politischen Aktivismus hin zur Strategie des »langen Marsches durch die Institutionen« und präsentiert zugleich einen Ausschnitt aus dem breiten stilistischen Spektrum des »Neuen Deutschen Films«.

»Deutschland im Herbst« zog eine Reihe von Filmprojekten nach sich, die sich mit verschiedenen Bildern Deutschlands auseinandersetzten und die den Wurzeln der gegenwärtigen Krise in der faschistischen Vergangenheit nachspürten.

Die Suche nach der deutschen Identität

Einer der fruchtbarsten unter den Neuen Deutschen Autorenfilmern war Rainer Werner Fassbinder (1946–82), der mit seinen über 30 Filmen eine zentrale Position im Filmschaffen der 60er und 70er Jahre einnahm. Daß er zugleich auch einer der umstrittensten und berühmtesten Figuren der Filmszene wurde, verdankt er nicht zuletzt seinem selbstzerstörerischen Lebensstil und seiner Leben und Kunst verquickenden Arbeitsweise, bei der er den festen Mitarbeiter- und Schauspielerstab wie ein Theaterensemble in den künstlerischen Schaffensprozeß einband. In »Warnung vor einer heiligen Nutte« (1970) hat Fassbinder die Unmöglichkeit solch kollektiven Filmemachens selbstkritisch analysiert.

Nach einer Reihe formal asketischer Kurzfilme arbeitete Fassbinder verstärkt an seiner eigenen filmischen Handschrift. Als seinen geistigen Vater entdeckte er zu

Beginn der 70er Jahre den aus Dänemark stammenden Hollywoodstar und Meister des melodramatischen Genres Douglas Sirk. In seinen frühen Spielfilmen »Händler der vier Jahreszeiten« (1971) und »Angst essen Seele auf« (1973) zitierte Fassbinder bewußt Stilelemente seines Vorbilds, inszenierte die melodramatischen Stoffe in von dramatischem Licht beleuchteten artifiziellen Dekors mit ausgestellten Kamerabewegungen als komplexes Spiel zwischenmenschlicher Annäherung und Entfremdung. Beide Filme ragen heraus aus einer Reihe von Arbeiten Fassbinders, die sich ebenso konkret wie kritisch mit weniger spektakulären Aspekten bundesrepublikanischen Alltags auseinandersetzen.

Ende der 70er Jahre verlagerte Fassbinder sein Interesse von der unmittelbaren Gegenwart auf die jüngste Vergangenheit, suchte in seiner BRD-Trilogie nach den Ursachen für die Probleme bundesdeutscher Identitätsfindung in den Jahren des Wiederaufbaus zwischen materialistischer Gier (»Die Ehe der Maria Braun«, 1978), opportunistischer Anpassung (»Lola«, 1981) und den quälenden Erinnerungen aus einer traumatischen Vergangenheit, die verdrängt statt bewältigt wurde (»Die Sehnsucht der Veronica Voss«, 1981).

Fassbinders Entwicklung von seinen frühen experimentellen und radikal politischen Arbeiten hin zu Filmen, in denen er die gefälligen Konventionen des Hollywoodkinos meisterhaft zu nutzen verstand, spiegelt

Rainer Werner Fassbinder war nicht nur Autor und Regisseur seiner Filme, sondern trat häufig auch als Darsteller in Erscheinung wie z. B. in »Angst essen Seele auf« (1973), der Geschichte der Liebe und Ehe einer Witwe mit einem um 20 Jahre jüngeren Gastarbeiter.

Hans Jürgen Syberbergs »Hitler, ein Film aus Deutschland« (1978) gehört zu den umstrittensten filmischen Auseinandersetzungen mit Nazi-Deutschland. Unter Vernachlässigung der politischen und ökonomischen Zusammenhänge, die die Durchsetzung des Faschismus ermöglichten, versucht der Film, sich dem Phänomen Hitler über die Analyse der irrationalen Schichten der deutschen Volksseele zu nähern.

einen generellen Trend in der Geschichte des Neuen Deutschen Films. Allein Alexander Kluge, der wichtigste Theoretiker der Bewegung, und Hans Jürgen Syberberg (*1935) brachen in ihren Filmen mit den Gesetzen des narrativen und rational argumentierenden Kinos. Volker Schlöndorff, Werner Herzog (*1942) und Wim Wenders (*1945) repräsentieren die sowohl kommerziell als auch bei der internationalen Kritik erfolgreichere Gruppe unter den deutschen Autorenfilmern, die ihr politisches und gesellschaftskritisches Engagement mit den Mitteln des großen Kinos zu verbreiten hofften und seit den 80er Jahren ihre internationalen Koproduktionen überwiegend außerhalb Deutschlands realisierten.

Fassbinders früher Tod 1982 markiert indessen den Endpunkt des »deutschen Filmwunders«. Deutsche Filmproduktionen reüssieren heute fast ausschließlich auf dem heimischen Markt, während die international erfolgreichsten deutschen Filmemacher wie Wolfgang Petersen (»Das Boot«, 1981), Wim Wenders (»Paris, Texas«, 1984) und zuletzt Roland Emmerich (»Independence Day«, 1996) sich einen festen Wohnsitz in Hollywood eingerichtet haben.

Politisches Kino

War es den neuen Wellen und Bewegungen im Filmgeschäft zunächst um ästhetische Erneuerung, um die kritische Auseinandersetzung mit filmsprachlichen Konventionen und die Propagierung des Autorenfilms

»Ich habe das Buch vergessen und einen Film gesehen«, lobte Günter Grass Schlöndorffs Verfilmung seines Romans »Die Blechtrommel« (1978). Der vielfach ausgezeichnete Film gilt als vorbildliche Adaption eines literarischen Werkes und zählt zu den Klassikern des westdeutschen Nachkriegsfilms.

im Gegensatz zum klassischen Genrekino gegangen, so traten Ende der 60er Jahre einige Filmkünstler mit inhaltlich engagierten, politischen Filmen hervor. Die Revolutionen in der Dritten Welt, der Prager Frühling, die Politisierung der Studenten, der Protest der ameri-

Feministischer Film

Eine deutsche Besonderheit ist die Stellung des Frauenfilms. Das politisch engagierte feministische Kino ist freilich kein rein deutsches Phänomen. Es wurzelt im Aufbruch der Frauen der 70er Jahre, die sich überall auf der Welt aufgemacht hatten, Männerdomänen wie die Künste zu erobern und als Ausdrucksmittel weiblicher Ästhetik und Weltsicht sowie – das gilt v. a. für das Massenmedium Film – als breitenwirksame politische Aufklärungsinstrumente zu nutzen. Die umfassende deutsche Filmförderung ermöglichte Frauen eher als in anderen Ländern ein Regiedebüt. So entstanden zunächst dokumentarische Frauenfilme, die Diskriminierung aufzeigten und zur Solidarität im Kampf um Emanzipation aufriefen. Im Gegensatz zu den klassischen ›Frauenfilmen‹ männlicher Regisseure, die das melodramatische Genre um tragische Frauenschicksale lediglich psychologisierten, repolitisierte der feministische Frauenfilm die subjektive Erfahrung, indem er sie auch als gesellschaftlich geprägt beschrieb. Die Filme von Helke Sander (»Die allseitig reduzierte Persönlichkeit: REDUPERS«, 1977; »Der subjektive Faktor«, 1981), Helma Sanders-Brahms (»Deutschland, bleiche Mutter«, 1979) und Margarethe von Trotta (»Die bleierne Zeit«, 1981) stehen für eine Suche nach weiblicher Identität im Patriarchat und versuchen über die private Ebene hinaus allgemeine Betrachtungen über den Zusammenhang von Privatleben und Politik anzustellen. Beeinflußt von französischer Filmtheorie, definierten die Filmemacherinnen feministische Filmkunst als Gegenkino zu den ›männlichen‹ filmsprachlichen Codes Hollywoods. Wie die Initiatoren anderer avantgardistischer Bewegungen suchten sie künstlerische Wahrhaftigkeit und politischen Ausdruck im Bruch mit den gängigen narrativen Konventionen zu erreichen und experimentierten mit nicht-kausalen Erzählformen, in denen sich die Bruchstückhaftigkeit realer Lebenserfahrung spiegeln kann.

kanischen Jugend gegen den Vietnamkrieg und die Entstehung der »Neuen Linken«, die eine soziale Revolution forderte, markieren die Zentren einer jungen politischen Protestkultur, deren Inhalte und spezifische Ausdrucksformen sich auch im zeitgenössischen Kunstschaffen niederschlugen.

Es gibt wenige europäische Regisseure, die sich so intensiv mit Amerika und Hollywood auseinandersetzten wie Wim Wenders. »Paris, Texas«, eine internationale Koproduktion, präsentiert eine faszinierende Synthese aus amerikanischem Road-Movie und europäischem Autorenkino.

Pier Paolo Pasolini (1922–75)

In Italien hatte sich der bekannte friulische Dichter und Theoretiker längst in seinen Romanen und seiner politischen Lyrik für eine sozialistische Utopie stark gemacht, bevor er in seinen Filmen den *consumismo*, die konsumorientierte Verbürgerlichung des revolutionären gesellschaftlichen Potentials, des vorstädtischen Lumpenproletariats sowie der Intellektuellen attackierte. Schon in seinen ersten Filmen mit »Accattone – Wer nie sein Brot mit Tränen aß« (1961) und »Mamma Roma« (1962) zeigt Pasolini die Vergeblichkeit des Strebens nach einem kleinbürgerlichen Glück auf. Wirken diese trostlosen Bestandsaufnahmen des Lebens in den italienischen Vorstädten noch wie

Stilistisch blieb Pasolini bis zu seinem letzten Film dem Neorealismus verbunden. Er arbeitete bevorzugt mit Laiendarstellern, improvisierte auf dem Set und vermied erzählerische Kontinuität zugunsten komplexer expressiver Bildfolgen und einer spezifischen Montagetechnik, die er »Pasticchio« nannte: die Vermischung stark kontrastierender visueller und akustischer Materials. In »Die 120 Tage von Sodom« gestaltete er brutale Vergewaltigungs- und Folterszenen in klassischer Bildkomposition und unterlegte sie mit Musik aus Carl Orffs »Carmina Burana«.

ein Aufruf zur sozialen Revolution, so schuf Pasolini mit seinem letzten Film »Die 120 Tage von Sodom« (1975) eine schockierende apokalyptische Vision von der Unveränderlichkeit menschlicher Barbarei inmitten hochgeistiger kultureller Verfeinerung.

Zwischen diesen Polen von sozialkritischem Engagement und pessimistischer Absage an die Veränderlichkeit der Welt nährte Pasolini seine unorthodox marxistische Utopie aus der Auseinandersetzung mit vorzivilisatorischer mythischer Weltsicht in Filmen wie »Edipo Re – Bett der Gewalt« (1967) oder »Medea« (1969). Zu einer Feier ganzheitlichen Menschseins durch erfüllte und unschuldige Sexualität geriet seine Trilogie des Lebens (»Decameron«, 1971, »Pasolinis tolldreiste Geschichten«, 1971, und »Erotische Geschichten aus 1001 Nacht«, 1974). Seine Ermordung noch vor der Uraufführung von »Die 120 Tage von Sodom« setzte seinem vielseitigen künstlerischen und theoretischen Schaffen ein tragisches und viel zu frühes Ende.

Kino gegen Unterdrückung

Wie Pasolini in Italien von der Renaissance der italienischen Filmindustrie profitierte, so verdanken auch andere politische und gesellschaftskritische junge Filmemacher ihre internationale Beachtung dem wirtschaftlichen und künstlerischen Erstarken bisher kaum beachteter Kinematographien in Ländern wie Griechenland, Polen, der Türkei und den Staaten Lateinamerikas.

Interessant ist die Verbindung von Traditionen der jeweiligen heimischen Kultur und Kinogeschichte mit politischem Engagement und der spezifischen Handschrift selbstbewußter Autorenfilmer. Der Grieche Thodoros Angelopoulos (*1936) setzte sich intensiv und kritisch mit der politischen Entwicklung seines Landes auseinander und scheute sich nicht, in seinen Filmen offen gegen die Militärdiktatur zu protestieren. In seinem international bewunderten »Die

Andrzej Wajdas leidenschaftliches Plädoyer für Demokratie und Menschenrechte »Mann aus Eisen« (1981) erzählt die Geschichte eines Journalisten, der mit einer Reportage über den Streik der Danziger Werftarbeiter beauftragt ist. Als er erkennt, daß seine Recherchen als belastendes Material gegen die Streikführer benutzt werden soll, schlägt er sich auf die Seite der Arbeiter. Der Film enthält eine Reihe von dokumentarischen Originalaufnahmen der historischen Ereignisse und zeigt in einer Nebenrolle auch Lech Walesa.

Wanderschauspieler« (1975) gibt die Geschichte einer Gruppe von reisenden Komödianten, die immer wieder daran gehindert werden, ein harmloses Stück aufzuführen, den Rahmen vor für eine Untersuchung der Strukturen der Diktatur von 1939 bis 1952.

Nachdem in Osteuropa alle Hoffnung auf die Demokratisierung des Sozialismus mit der gewaltsamen Niederschlagung des Prager Frühlings durch sowjetische Truppen ein Ende fanden, kam das kraftvolle

politische Kino aus Polen. Der Maler und Filmregisseur Andrzej Wajda (*1926) hatte sich bereits in
den 50er Jahren mit anderen Regisseuren der sogenannten Polnischen Schule vom revolutionären Optimismus und positiven Heldentum des staatlich ver-
ordneten sozialistischen Realismus abgewandt. In den
70er Jahren bekam er größte Schwierigkeiten mit den
staatlichen Zensurbehörden, weil er in seinen Filmen
»Mann aus Marmor« (1976) Polens stalinistische Vergangenheit und neo-stalinistische Gegenwart am
Beispiel der Geschichte eines »Helden der Arbeit«
in einer kompromißlosen und für den repressiven
Staats- und Parteiapparat äußerst unbequemen Weise
unter die Lupe nahm. 1981 unterstützte er mit dem
international überaus erfolgreichen Folgefilm »Mann
aus Eisen« die Aktivitäten der Solidarnoŝc und rief
zusammen mit anderen jungen Filmemachern eine
neue Ära des realistischen und gegenwartskritischen
Kinos aus. Die Regierung unterdrückte diese Bewegung jedoch massiv und zwang Wajda ins künstlerische Exil, aus dem er erst 1989, nach dem Sieg der
Solidarnoŝc, in seine Heimat zurückkehrte.

Die Militärdiktatur der Türkei fand ihren vermutlich
engagiertesten filmkünstlerischen Gegenspieler in
dem Regisseur Yilmaz Güney (1937–84), der in seinem Land und als herausragender Vertreter von
dessen aufstrebender Kinematographie eine ähnliche
Popularität erreichte wie Wajda. Vor seiner Karriere

In »Yol – Der Weg«
(1982) schildert Güney
die Erlebnisse verschie-
dener Strafgefangenen
auf Hafturlaub und zeigt
eindrucksvoll, wie diese
Männer auch die Freiheit
in der Türkei als Gefäng-
nis erleben, dessen
Mauern aus überkomme-
nen patriarchalischen
Ehrbegriffen und staat-
lichen Repressionen
bestehen.

als der international erfolgreichste Regisseur des türkischen Films trat Güney als beliebter Schauspieler zahlreicher kommerzieller Actionfilme in Erscheinung. Schon seine zweite Regiearbeit, »Hoffnung« (1970), wurde wegen ihrer ästhetisch durchkomponierten Bilder und der spannungsreichen Fabel als bester türkischer Film aller Zeiten gefeiert.

Nach dem Militärpusch von 1971 wurde Güney wegen seines unverhohlenen sozialkritischen und politischen Engagements immer wieder inhaftiert und 1974 kurz nach der Fertigstellung der gesellschaftskritischen Momentaufnahme einer völlig aus den Fugen geratenen Türkei (»Der Freund«, 1974) wegen eines angeblichen Mordes zu 19 Jahren Gefängnis verurteilt.

Trotz der schwierigen Bedingungen gab Güney nicht auf und realisierte seine folgenden Filme aus der Gefangenschaft heraus gemeinsam mit dem Regisseur Zeti Ötken. 1981 gelang ihm die Flucht, und so konnte er den zusammen mit Serif Gören begonnen Film »Yol – Der Weg«, sein 1982 mit der Goldenen Palme ausgezeichnetes Meisterwerk, im französischen Exil selbst vollenden. Als Güney 1984 an Krebs starb, ließ die türkische Regierung – im Bestreben, jede Spur des politischen Dissidenten auszulöschen – alle vorhandenen Kopien seiner Filme verbrennen, sein Verdienst um einen neuen poetischen Realismus türkischer Prägung ist dennoch unverkennbar.

Insgesamt führte die unerbittliche staatliche Zensur in der Türkei zum weltweit größten Niedergang einer nationalen Filmindustrie. 1972 war die Türkei mit 300 Spielfilmen noch der drittgrößte Filmproduzent der Welt, Anfang der 90er Jahre wurden nur noch weniger als ein halbes Dutzend Filme produziert. Inzwischen hat sich die türkische Filmindustrie freilich wieder etwas erholt, neben einer breiten kommerziellen Filmproduktion für den boomenden Videomarkt etabliert sich eine junge Generation von Filmemachern, die sich in ihrer Filmkunst an ihrer eigenen bildnerischen Kultur und narrativen Tradition orientieren.

Neues lateinamerikanisches Kino

Die Aufbruchstimmung der 60er Jahre blieb nicht auf Europa und Nordamerika beschränkt. In den Ländern der sogenannten Dritten Welt führte der politische Kampf für Selbstbestimmung und gegen wirtschaftliche Ausbeutung und politische Unterdrückung – die Kubanische Revolution, der Algerische Befreiungskampf, die Unabhängigkeitsbestrebungen in Afrika und Vietnam – auch zu einem neuen revolutionären Selbstverständnis der Kunstschaffenden. Für die vielen politisch motivierten und künstlerisch innovativen

Der Shooting Star und wichtigste Vorreiter des Cinema Nôvo war Glauber Rochas (1938–81). In einem Manifest von 1965 propagierte er »Die Ästhetik des Hungers« (1965) in Abgrenzung zur vorherrschenden »Ästhetik des Imperialismus«. Er rechtfertigte Gewalt als Mittel des Widerstandes und setzte die Forderung nach einem gewalttätigen Kino auf Kosten der narrativen Kausalität in stilistisch gewalttätigen und expressiven Bildern um. Seinen Film »Antonio das Mortes« (1968), in dem der kaltblütige Killer offensichtliche Analogien zum neuen Regime aufwies, verstand er als einen Akt des »Guerilla-Filmemachens«.

Bewegungen im Kino soll hier beispielhaft das brasilianische Cinema Nôvo angeführt werden.

Die Leinwände Lateinamerikas waren seit dem Ersten Weltkrieg von den Produkten aus Hollywoods Traumfabrik dominiert worden. Wie die europäischen Avantgarde-Filmer hatten die brasilianischen Regisseure ihren Blick und die eigene Ausdruckskraft am klassischen Hollywoodkino geschult und kamen in der kritischen Auseinandersetzung mit dessen Konventionen zu vergleichbaren ästhetischen Ergebnissen.

Im Unterschied zu den Werken ihrer europäischen Kollegen waren die Filme der jungen Cinéphilen Brasiliens jedoch viel radikaler in ihrer Kritik und politischen Stellungnahme. Sie waren politisch engagierte Bürger eines Entwicklungslandes, wiesen der Kunst eine dienende Funktion im Befreiungskampf und sich selbst die Rolle des Fürsprecher der Unterdrückten zu – der ethnischen Minderheiten, der Bauern und besitzlosen Landarbeiter. Beeinflußt von den Werken der italienischen Neorealisten und der französischen Nouvelle vague übernahmen sie deren stilistische Neuerungen wie die Anwendung von Handkameras oder das Drehen in langen Plansequenzen und verbanden sie mit dem für Lateinamerika typischen folkloristischen Nationalismus und ihren politischen Anliegen zu einer spezifisch brasilianischen Filmkunst. Den Widerstand gegen den westlichen Kulturimperialismus made in

Hollywood verstanden sie als Teil des allgemeinen revolutionären Prozesses.

Ihre Kritik wandte sich also nicht nur gegen die Ideologie des kapitalistischen Klassenfeindes im In- und Ausland, sondern auch gegen die medialen Strategien, mittels derer diese Ideologie Verbreitung fand. Schon bald nach dem zweiten Militärputsch von 1968 fand die Bewegung ein Ende: Die führenden Filmemacher Glauber Rocha und Ruy Guerra gingen unter dem wachsenden politischen Druck ins Exil, während andere, konfrontiert mit einer unerbittlichen politischen Zensur und dem Desinteresse kommerzieller Verleiher, enorm in ihrer Arbeit und Weiterentwicklung behindert wurden.

Serienboom

Der Aufbruch der jungen Autorenfilmer war zweifellos die aufregendste und ästhetisch folgenreichste filmgeschichtliche Bewegung der 60er und 70er Jahre. Doch obwohl sich das Kino der neuen Wellen durchaus

sein eigenes und damit der Filmkunst ein neues cinéphiles Publikum eroberte, war es nie ein Kino der Massen. Diese strömten nach wie vor in die Hochglanzproduktionen Hollywoods und seiner inzwischen in Europa und Asien entstandenen Ableger oder besser gesagt, sie kleckerten, denn Anfang der 60er Jahre erreichte die internationale Krise der Filmindustrie ihren Höhepunkt. Ein großes Kinosterben griff um sich, und in den USA sank die Filmproduktion auf ein Viertel der Vergleichszahlen der 40er Jahre.

Ästhetische Weiterentwicklung war in einer solchen Situation für das kommerzielle Kino nicht mehr denkbar. Risiken mußten unbedingt vermieden werden, und so präsentierte sich das Mainstream-Kino bis in die 70er Jahre als Medium rückschrittlicher Trivialität

Das Geheimnis des Erfolgs der James-Bond-Serie liegt in ihrer ebenso spannenden wie unterhaltsamen Mischung aus Krimi, Science Fiction und erotischer Komödie begründet. Der Titelheld ist kultiviert und brutal zugleich, ein phantastischer Fighter und unwiderstehlicher Frauenheld, der die Welt (natürlich in letzter Sekunde) stets mit einem humorigen Spruch auf den Lippen vor der Vernichtung durch einen ihm – fast – ebenbürtigen, aber wahnsinnigen Superbösewicht rettet. Mit diesem Erfolgsrezept überlebte die Figur verschiedene Hauptdarsteller und Regisseure und inspirierte zahlreiche Imitationen und Parodien.

Die erfolgreichen Karl-May-Verfilmungen, die in Deutschland einen Serien-Boom auslösten, waren die ersten europäischen Produktionen, die sich auf das Feld des ureigensten amerikanischen Genres, des Western, vorwagten.

und bewährter erzählerischer Strickmuster. Die Produzenten, die bei immer höheren Einsätzen immer weniger Filme produzierten, versuchten mit jedem neuen Produkt alles Bisherige an Glamour, Aufwand und technischen Effekten zu überbieten, und wenn sich etwas einmal als erfolgreich erwies, dann wurde es auch gleich in Serie hergestellt.

In Deutschland beherrschten die sehr freien aber um so erfolgreicheren Adaptionen der Romane Karl Mays und der Krimis von Edgar Wallace den Kinomarkt und eroberten die Herzen des Publikums in immer neuen Variationen der immer gleichen ästhetischen Grundprinzipien und Figurenkonstellationen.

Die erfolgreichste Kino-Serie, die in den 60ern die Hitlisten anführte, war eine Reihe von Spionage-Thrillern um einen britischen Geheimagenten mit der Codenummer 007, die mit Terence Youngs »James Bond – 007 jagt Dr. No« (1962) begann und Sean Connery zu Weltruhm verhalf. Bemerkenswert ist, daß die Bond-Serie nicht in Hollywood, sondern in London produziert wurde, wenn auch – wie 90 % aller Filme aus englischer Produktion in diesen Jahren – mit amerikanischem Kapital.

Die englische Hauptstadt war in den 60er Jahren aus mehreren Gründen besonders attraktiv für amerikanische Filmproduzenten. Die staatliche Unterstützung für englische Filmproduktionen, die Nähe Londons zum großen Filmmarkt Europa und der hohe technische Standard englischer Studios sorgten dafür, daß London für ein Jahrzehnt das Filmproduktionszentrum der Welt wurde.

Das Ende des Genrefilms

Die Aufweichung der klassischen Genregrenzen, wie sie in der James-Bond-Serie zu beobachten war, war kennzeichnend für das Massenkino der späten 60er und frühen 70er Jahre. Filme, die ein möglichst breites Publikum ansprechen wollten, mußten für Frauen wie Männer, für Jugendliche wie Erwachsene und für Menschen unterschiedlicher Kulturkreise etwas zu bieten

Der Westernklassiker »Spiel mir das Lied vom Tod« stellt mit seiner klaren Trennung von Gut und Böse, die wohl ein Zugeständnis an die amerikanischen Koproduzenten war, eine Ausnahme unter den sogenannten Spaghetti-Western dar.

haben. Die klassischen Genres erfüllten diese Kriterien nicht länger.

Der Spätwestern z. B. entzog sich mit der kritischen Reflexion des Mythos vom guten Pionier, der moralgestärkt, aber auch mit entschlossener Faust die Erschließung des Landes betreibt, die eigenen Grundlagen. John Ford (1895–1973), der Altmeister des Genres, korrigierte in »Cheyenne« (1963) das Bild des bösen und blutrünstigen Indianers und stellte in »Der Mann, der Liberty Valance erschoß« (1961) seine eigene Legendenbildung vom alten, besseren Amerika generell in Frage.

Nur die Unbefangenheit europäischer Filmproduzenten bescherten dem Western eine kurzfristige Verjüngung und einen letzten Höhepunkt. Die sogenannten Italo- oder Spaghetti-Western von Sergio Corbucci und Sergio Leone boten eine Variante des pessimistischen amerikanischen Spätwesterns, in der die klassische Trennung von Gut und Böse endgültig aufgehoben wurde und deren abgebrühte Helden nur noch für sich kämpfen und siegen. Nach Höhepunkten wie »Für eine Handvoll Dollar« (Regie: Sergio Leone, 1964), »Spiel mir das Lied vom Tod« (Regie: Sergio Leone, 1968) oder »Leichen pflasterten seinen Weg« (Regie: Sergio Corbucci, 1968) schlug die zynische Distanzierung von den Mythen des Western immer mehr in Ironie um, wie es sich bei Leone in »Zwei glorreiche Halunken« schon 1966 andeutete, und verkam in den Filmen mit Bud Spencer und

In den 70er Jahren lief mit dem ›Eastern‹ ein neues Action-Genre aus Hongkong dem klassischen Western den Rang ab. Nur wenige Filme brauchte der chinesisch-amerikanische Schauspieler Bruce Lee, um zum Kultstar der neuen gewaltverherrlichenden Filme um die Kampftechnik Kung Fu aufzusteigen. Obwohl die Film-

Terence Hill (»Vier Fäuste für ein Halleluja«, Regie: Enzo Barboni Clucher, 1971, u. v. a.) schließlich zur parodistischen Unterhaltungsklamotte.

Auch in anderen Genres wurde das klassische Repertoire der Handlungsversatzstücke der Verballhornung ausgesetzt. So ließ Roman Polanski (*1933) in seiner Gruselfilm-Persiflage »Tanz der Vampire« (1967) skrupellos das Böse über das Gute siegen und setzte die Mechanik des Horrors durch satirische Überzeichnung und liebevolle Typenkomik außer Kraft.

Einen Höhepunkt für Genrevermischung und Genreparodie zugleich markierte 1974 das als »Grusical« beworbene Musical »The Rocky Horror Picture Show« (Jim Sharman, 1974), das Elemente des Vampir- und Monsterfilms, des Science-Fiction-Spektakels und des Musicals gnadenlos dem Gelächter preisgab.

industrie Hongkongs 1972, dem Produktionsjahr von »Bruce Lee – Todesgrüße aus Shanghai«, zu den stärksten der Welt zählte, wurden im Westen ausschließlich die Eastern zur Kenntnis genommen.

Von der Traum- zur Alptraumfabrik

Daß das Genre des Horrorfilms gleichzeitig auch in die entgegengesetzte Richtung umschlagen konnte, in die handlungsarme und vor allem blutrünstige Gattung des Zombie- und Splatterfilms, war nur möglich, weil in den 70er Jahren althergebrachte Tabus des Kinos fielen.

Mit dem Niedergang des Studiosystems liberalisierte das amerikanische Kino sein strenges Zensursystem, den berühmten Production Code. Die rigiden »Don'ts«, die die Darstellung von Gewalt und Sex strengen Regeln unterworfen hatten, erwiesen sich im Konkurrenzkampf um das immer jüngere Publikum in einer Zeit allgemeiner Liberalisierung als überlebt und geschäftsschädigend. Gefragte neue Genres waren mystizistische Hexen- und Teufelfilme, zu denen z. B. »Der Exorzist« (Regie: William Friedkin, 1973) oder »Rosemaries Baby«

(Regie: Roman Polanski, 1967) zu zählen sind, oder die im Vergleich dazu realistischeren Katastrophenfilme wie »Höllenfahrt der Poseidon« (Regie: Ronald Neame, 1972) oder »Flammendes Inferno« (Regie: John Guillermin/Irwin Allen, 1974).

Während Stanley Kubrick (*1928) in seinem überaus brutalen Film »Uhrwerk Orange« das wachsende Gewaltproblem der Gesellschaft noch kritisch hinterfragte und als strukturell und sozial begründet darstellte, boten die populären Hexen- und Katastrophenfilme vor allem Ventile zur Angstbewältigung an.

Mit der kritischen oder verherrlichenden Darstellung von Gewalt im Film, die in den 80er und 90er Jahren zu einem der wichtigsten Themen werden sollte, entwickelte sich das Kino von der Traum- zur Alptraumfabrik. Wenn Hollywood vormals seinen

Die filmische Adaption des Bühnenstückes »The Rocky Horror Picture Show« (1974) rief ein ganz neues Zuschauerverhalten hervor – sie wurde zum Kultfilm eines Szene-Publikums, das das Kino als Erlebnisraum wiederentdeckte, seinen Lieblingsfilm in Kostümen der Figuren besuchte, die Dialoge auswendig rezitierte, in der Hochzeitsszene Reis warf und im Zuschauersaal die Choreographien mittanzte.

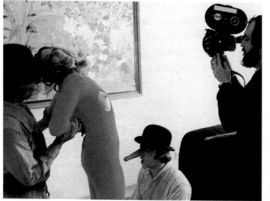

Ähnlich wie bei der Darstellung von Sexualität spaltet sich auch an der Bewertung von Gewaltszenen die Meinung des Publikums. In Stanley Kubricks brutaler Zukunftsvision »Uhrwerk Orange« (1971) wollen einige Skeptiker nichts sehen als eine voyeuristische Effekthascherei, während andere die stilisierte Ästhetik des Films eher als kritische Distanz zur Gewalt interpretierten.

153

Die Welle von Teufels- und Hexenfilmen, die 1973 mit dem schockierenden »Exorzist« einen sensationellen Kassenerfolg erreichte, erklärte ihren durch moralische und politische Krisen verunsicherten Zeitgenossen »das Böse« als eine unerklärliche Macht, die auch in das Leben von Durchschnittsmenschen eindringen, durch die Kraft der familiären Liebe und des Glaubens jedoch bezwungen werden kann.

Zuschauern mit der ständigen Variation des amerikanischen Traums bei der Verdrängung ihrer tristen Wirklichkeit geholfen hatte, so läßt sich die populäre Eskalation der Gewalt auf den Leinwänden möglicherweise damit erklären, daß das Kino nun mit der ständigen Beschwörung der Kastastrophe die reale Welt als vergleichbar harmlos erscheinen ließ und damit von einer als immer bedrohlicher empfundenen gesellschaftlichen Atmosphäre entlastete.

Die sexuelle Emanzipation

Als ähnlich erfolgreich wie der neue Themenschwerpunkt Gewalt erwies sich die Liberalisierung in der Darstellung von Sexualität. Der staatlich in Auftrag gegebene Aufklärungsfilm »Helga«, in dem der Sexualexperte Oswalt Kolle ungezwungen über Fragen der Empfängnisverhütung und Geburt referiert, wurde 1967 in Deutschland zu einem Medienereignis und zog eine Welle von Schulmädchen- und Hausfrauenreports nach sich, deren vorgeblicher pädagogischer Anpruch freilich immer mehr zum Feigenblatt geriet.

Auch im übrigen Europa, den USA und Japan waren ähnliche Aufklärungsfilme und immer freizügigere Sexstreifen so erfolgreich, daß der Schritt zum Softporno und schließlich zum Hardcore-Porno nahelag. 1968 legalisierte Dänemark als erstes Land der Welt die Pornographie, der erste Hardcore-Porno, der in den USA in öffentlichen Kinos gezeigt wurde, war 1972 »Deep Throat«; der Kinobesitzer des Uraufführungskinos wurde freilich während der Laufzeit des Films zweimal wegen Verbreitung unzüchtiger Filme eingesperrt.

Auf wie breite Begeisterung die Enttabuisierung der Sexualität im Kino weltweit traf, mag ein Beispiel aus

Frankreich illustrieren: Von den 607 neuen Filmen, die 1974 in Paris gezeigt wurden, erreichte der Soft-porno »Emanuela« die meisten Zuschauer und übertraf andere Kassenschlager des Jahres wie z. B. »Der Clou« (Regie: George Roy Hill, 1973) oder »Der Exorzist« deutlich. Bis heute müssen sich die unterschiedlichen, meist im Auftrag des Jugendschutzes agierenden Zensurinstanzen immer wieder aufs neue mit der komplizierten Unterscheidung zwischen »erotischen Kunstfilmen«, die sich häufig um den Zusammenhang zwischen Politik und Sexualität drehen, den harmloseren Sexfilmen, die sich meist damit begnügen, den nackten weiblichen Körper in erlesener Farbfotografie zur Schau zu stellen, und der sexistischen Pornographie auseinandersetzen. Dieser Unsicherheit fallen immer wieder Filme zum Opfer, die zugleich auf internationalen Filmfestspielen als Kunstwerke gefeiert werden. So erging es 1975 z. B. Pasolinis umstrittenem »Die 120 Tage von Sodom«, der in Italien kurzzeitig aus dem Verleih gezogen wurde, oder Nagisa Oshimas »Im Reich der Sinne«, der 1976 bei der Berlinale konfisziert wurde und sogar in Japan, eigentlich ein Land mit einer reichen Tradition erotischer Kunst, mit zahlreichen Schnittauflagen belegt war und der bis heute in einigen Ländern verboten ist.

»Im Reich der Sinne« zeigt Sexualität als zerstörerische Kraft: Aus sexueller Besessenheit willigt der Liebhaber einer jungen Prostituierten ein, sich auf dem Höhepunkt von seiner Partnerin erdrosseln und kastrieren zu lassen.

Die Entwicklung zum »globalen Dorf«

In den 80er Jahren mündete die Rebellion der 60er-Jugend (trotz oder sogar wegen der eskalierenden Gewalt in den innerstaatlichen Auseinandersetzungen der 70er Jahre) in einer Rekonsolidierung der traditionellen Macht- und Besitzverhältnisse. An die Stelle des Traums von der befreiten Gesellschaft trat ein Werte-Vakuum: Verunsicherung, Zukunftsangst und schließlich die Verstärkung restaurativer Tendenzen und rückwärtsgewandter Utopien waren die Folgen. Nachdem das Wettrüsten zwischen Ost und West mit dem Bau der Neutronen-Bombe und den Plänen, den Atomkrieg in den Weltraum zu verlagern, immer bedrohlichere Formen angenommen hatte, brachte auch die Annäherung der Blöcke und der Zerfall des Warschauer Paktes zu Beginn der 90er kein Ende der weltweiten Konflikte. In den Krisenherden Afrikas, Südamerikas und Südostasiens sowie an neuen Schauplätzen am Golf und auf dem Balkan erreichten die kriegerischen Auseinandersetzungen eine neue Dimension – auch in der medialen Aufbereitung – sowie erschreckenderweise eine dem Holocaust vergleichbare Brutalität.

Die Verunsicherung erhielt durch die anhaltende Wirtschaftkrise in Ost und West, durch wachsende Armut, Arbeitslosigkeit und die damit verbundenen sozialen Spannungen zusätzlich Nahrung. Die Schreckensmeldungen von Atomunfällen, dem Waldsterben und der weltweiten Klimaveränderung taten ein übriges und machten drastisch klar, daß ein uneingeschränktes Wirtschaftswachstum und blinder Fortschrittsglauben nicht zur Sicherung der menschlichen Zukunft ausreichen.

Diese vielseitigen Verunsicherungen mögen zu einem gesellschaftlichen Trend beigetragen haben, der sich zumindest in der westlichen Welt sehr deutlich beobachten läßt: das Phänomen des *cocooning*, der Rückzug der Yuppies in die Familie, deren Mittelpunkt die Kinder bildeten. Feministinnen predigten in den 80ern die neue Mütterlichkeit, und Kinder begannen wesentlich über das Konsumverhalten mitzubestimmen. Neil Postman verkündete »Das Ende der Kindheit« in einer

Tim Burtons »Batman«
(1988), der Hit des Jah-
res 1989, wurde mit 85
Mio. Dollar produziert
und hat an der Kinokas-
se geschätzte 500 Mio.
Dollar eingespielt, 300
Mio. Dollar durch den
Vertrieb als Video und
18 Mio. Dollar über die
Fernsehauswertung. Da-
zu kamen die Einnahmen
aus der Musikverwer-
tung, dem Verkauf von
Büchern, Comics und
Lizenzen für andere Mer-
chandising-Produkte wie
T-Shirts und Batman-Fi-
guren, die ihrerseits für
eine erhöhte öffentliche
Aufmerksamkeit im Vor-
feld des Kinostarts
sorgten.

infantilen Gesellschaft. Die Medien jedenfalls haben
Kinder als Thema sowie als Zielgruppe und kaufkräf-
tige autonome Konsumenten entdeckt und erreicht.

Gleichzeitig rückt die Welt zum »globalen Dorf« zusammen: Unterstützt durch die informationstechnische
Vernetzung, integrierten sich die ehemals kommunistischen Länder in den kapitalistischen Weltmarkt, und
die geographisch spezifischen Ausprägungen kultureller Äußerungen sahen sich mit einer immer stärkeren
Konkurrenz durch die weltweit vermarkteten Massen-
Multimedia-Produkte konfrontiert, die einen auch unter
Intellektuellen und kulturellen Trendsettern wachsenden Abnehmerkreis fanden. In der Kunst erfuhr das
Triviale und Profane durch die Popkultur eine Aufwer-
tung. Die alte Dichotomie zwischen U- und E-Kultur
verwischte immer mehr, denn der narzistische, karrie-
re- und konsumorientierte Yuppie suchte in der Kultur
Entspannung statt Erbauung oder gar Aufklärung.

Schöne neue Medienwelt

Mit dem Beginn der 8oer Jahre ist das Informations-
zeitalter angebrochen. Die Mikrocomputer-Revolution
wird vielleicht einmal als das bedeutendste Ereignis des
späten 20. Jahrhunderts in die Geschichte eingehen.
Sie war aber nur einer von mehreren entscheidenden
Schritten zur totalen Mediengesellschaft. In den 8oer
Jahren kam es zu einer rasanten Expansion des Video-

marktes und des Kabel- und Satellitenfernsehens, die die technische Basis für die immer noch steigende Zahl privater und kommerzieller Fernsehsender bot.

Der moderne Kinofilm muß sich heute in einer völlig veränderten Medienlandschaft bewähren, in der er nicht mehr die führende Ware, sondern eines unter vielen, unterschiedliche Rezeptionsgewohnheiten bedienenden Produkten der Unterhaltungsindustrie geworden ist, die sich gegenseitig werbewirksam ergänzen. Die erfolgreiche Erstauswertung eines Spielfilms im Kino entscheidet ganz maßgeblich über den Erfolg seiner Fernseh- und Videovermarktung. Dabei kann das Videogeschäft, das längst über die Resteverwertung von Altem, Mißlungenem und billig Produziertem hin-

ausgeht, zu einem äußerst profitablen Geschäft werden. Die Einnahmen aus dem Videoverkauf von Disneys »Die Schöne und das Biest« (1991) z. B. übertrafen die Kino-Einnahmen jedes bisherigen Films. Allen Kassandrarufen zum Trotz hat der Videorekorder, der dank seiner flächendeckenden Verbreitung vielen Filmen ein weit

»Mehr als Kino« wollen die als Freizeit-Center konzipierten Multiplex-Konsumtempel aus Stahl und Glas bieten: in mindestens sieben Sälen (insgesamt mindestens 1700 Sitzplätze), die großzügig mit komfortablem *arena seating*, gekrümmter Mammut-Leinwand und technischer Perfektion in Ton und Projektion ausgestattet sind und mit zusätzlichen Freizeitangeboten wie anspruchsvoller Gastronomie und *shopping malls* aufwarten.

größeres Publikum verschaffte, als es ihnen im Kino gelungen wäre, dieses ebensowenig verdrängt wie zuvor das Fernsehen. Auch die neuen audiovisuellen Bild- und Tonträger wie z. B. die digitalisierte CD-Rom werden zwar den Stellenwert des Video-Geschäfts verändern, es aber nicht gänzlich ablösen.

In der Freizeitgesellschaft ist der Bedarf an ständig neuen Unterhaltungsproduktionen, die den verschiedensten Lebensgewohnheiten entsprechend in unterschiedlichen Medien zugänglich sind, immer weiter gewachsen. Während die sogenannten »amphibischen« Filme für die Auswertung in verschiedenen Medien produziert werden, hat sich daneben für jedes Medium eine spezifische Angebotsstruktur herausgebildet. Eine ganze Reihe von Filmen werden heute für die »Direct-to-video«-Verwertung hergestellt. Die Spezialisierung auf Minderheitenangebote (vor allem Horror- und Sex-filme, die wegen des Jugendschutzes aus den öffentlich zugänglichen Abspielstationen Fernsehen und Kino ausgeschlossen bleiben müssen) haben den Videotheken zu Unrecht den Ruf von Schmuddelbastionen für Volljährige eingebracht. Sie sind neben dem Fernsehen zum Hauptbewahrer der Kinovergangenheit geworden, denn viele alte Filme gibt es nur noch im Verleihgeschäft.

Das Fernsehen erreicht seine höchsten Einschaltquoten mit medienspezifischen Formaten wie Sport- und Informationssendungen, Spiele- und Talkshows sowie den suchtartig konsumierten Daily-Soaps. Für den Kinomarkt werden heute unter Aufwendung enormer Budgets bis zu 200 Mio. Dollars überwiegend A-Pictures produziert, die im Hinblick auf ihre internationale und optimale Vermarktung möglichst risikolos, d. h.

Video

Die Videotechnik ist ein Bildspeicherverfahren, bei dem die optischen Signale in elektronische Impulse zerlegt und auf Magnetband aufgezeichnet werden, ganz ähnlich der Schallaufzeichnung durch ein Tonband; ein Videoband kann wie dieses gelöscht, neu bespielt und kopiert werden. Video wird heute ebenso bei der Filmproduktion wie auch als Technik zur Aufzeichnung von Fernsehsendungen verwendet. Mit der magnetischen Bildspeicherung experimentierte man bereits seit den 20er Jahren, der erste Rekorder wurde 1956 vorgestellt und als Speicher- und Bearbeitungsgerät im Fernsehbereich eingesetzt. Ein eigenes Genre sind aufwendig inszenierte Musikvideoclips, mit denen Plattenproduzenten gratis Fernsehkanäle wie MTV versorgen, die sich auf Popmusikprogramme spezialisiert haben. Ursprünglich reine Werbeträger für Musik, haben die besonders schnellen assoziativen Bildmontagen der Musikclips eine neue Bildsprache entwickelt, deren nicht selten von bekannten Filmregisseuren geprägte Ästhetik auch auf das Filmschaffen zurückwirkt. Zu Beginn der 70er wurden Versuche gestartet, der Videotechnik neben der professionellen Studionutzung auch einem Konsumentenkreis zu erschließen. Die über 50 verschiedenen, meist nicht kompatiblen Aufzeichnungsverfahren, die gleichzeitig auf den Markt geworfen wurden, konnten sich aber nicht durchsetzen, bis Mitte der 70er Jahre japanische und europäische Elektronikkonzerne wie Philips und Sony mit neuen Standards und preiswerteren Geräten einen Heimrekorder-Boom auslösten. An ein Geschäft mit bespielten Kassetten wollte lange Zeit keiner glauben, die Filmgesellschaften befürchteten Einbußen an der Kinokasse. Der Videohandel kam erst Ende der 70er Jahre in Gang, als ein gescheiterter Hollywoodschauspieler in der »Los Angeles Times« eine kleine Anzeige aufgab, in der er den Verleih von Filmen aus seinem Privatbesitz anbot. Kamen zunächst v. a. drittklassige Filme auf den Verleihmarkt, so wird inzwischen der Großteil des Umsatzes mit bereits erfolgreich im Kino gestarteten Filmen gemacht. Inzwischen gibt es an allen Straßenecken Videotheken, doch das Verleihgeschäft ist schon wieder rückläufig, während der Kaufkassettenmarkt boomt. Billige Bänder findet man heute als Mitnahmeartikel direkt neben der Supermarktkasse.

kulturell kompatibel und hochgradig standardisiert sein müssen. Der Neubau von Multiplexen mit größeren, technisch besser ausgestatteten Sälen, einer modernen Erlebnisgastronomie und *shopping malls* machen den Filmbesuch zu einem Programmpunkt in einer neuen Form von Entertainment-Kultur, der das Kino beachtliche Zuschauerzuwächse auch aus der seit den 70er Jahren stetig schwindenden Besuchergruppe der über 30jährigen verdankt.

Das Neue Britische Fernseh-Film-Wunder

Daß es nach dem unerbittlichen Konkurrenzkampf zwischen Filmindustrie und Fernsehen schließlich zu einer friedlichen Koexistenz kam, ist eine direkte Folge der Umstrukturierung des Medienmarktes. Kino-, Fernseh- und Videofilme werden heute neben Tonträgern, CD-Roms und Software nicht mehr von medienspezifisch konkurrierenden Firmen, sondern nebeneinander in denselben Fabriken einiger großer Medienkonzerne hergestellt. Jenseits von kommerziellen Interessen hat sich die Kooperation zwischen Fernsehsendern und Kinofilmproduzenten auch als künstlerisch fruchtbar erwiesen. Der Neue Deutsche Film der 70er Jahre z. B. verdankte einen Großteil seines Erfolges der finanziellen Unterstützung durch die öffentlich-rechtlichen Sender. In den 80er Jahren, als der europäische Film besonders darbte, überraschten unabhängige britische Produzenten die Welt mit stilistisch sehr unterschiedlichen gesellschaftskritischen Filmen auf hohem künstlerischem Niveau, die im Auftrag von Fersehkanälen entstanden waren.

Die britische Filmindustrie befand sich Ende der 70er Jahre eigentlich in einer ihrer schwersten Krisen, bedingt einerseits durch den Rückzug amerikanischer Investoren, die London kurzzeitig zu einem der Weltfilmzentren gemacht hatten, und andererseits durch die vom Aufstieg des Fernsehens ausgelösten Zuschauerrückgänge. Wie kein anderes Land war England stets eine Kolonie Hollywoods gewesen, die, abgesehen von den kurzen Bewegungen der britischen Dokumentar-

Richard Attenboroughs (*1923) »Gandhi« ist ein nach klassischen Hollywoodregeln gestaltetes biographisches Monumentalepos mit einem Aufgebot der besten britischen Schauspieler und 350 000 Statisten. Es ist zugleich ein intelligenter Film, der konsequent für eine humanistische Weltsicht eintritt, zu einer Zeit, in der politische Stellungnahme im Kino die Ausnahme war. Der Film wurde mit acht Oscars ausgezeichnet.

filmschule in den 40ern und dem Free Cinema der 60er, kaum ein eigenes Profil gewinnen konnte. Vielleicht förderte der Mangel amerikanischer Investitionen, der britische Filmemacher zwang, sich außerhalb der kommerziellen Filmproduktion ihren Weg zu suchen, die Bereitschaft zum Experiment und die kritische Haltung gegenüber der von Sozialdarwinismus und rücksichtslosem Leistungsdenken geprägten englischen Gesellschaft der Ära Thatcher. Viele Regisseure des neuen britischen Kinos waren Grenzgänger zwischen verschiedenen Kunstgattungen, was die besondere formale Gestaltung ihrer Filme, den deutlichen Einfluß von bildender Kunst, Literatur und modernem Theater erklärt.

»Die Briten kommen!« orakelte stolz Drehbuchautor Colin Wellman bei der Oscarverleihung 1981, als er neben Regisseur Hugh Hudson für »Die Stunde des Siegers« (1980) ausgezeichnet wurde. Der Film erzählt die historische Geschichte zweier britischer Medaillengewinner bei den Olympischen Spielen von 1924.

Eine Neubelebung des britischen Qualitätsfilms hatte sich schon durch die mehrfachen Oscar-Auszeichnungen für Hugh Hudsons »Die Stunde des Siegers« (1980) und Richard Attenboroughs »Gandhi« (1982) angekündigt. Doch das Wiederaufleben des britischen Kinos wäre ohne das Engagement des 1980 – aufgrund eines der letzten Gesetze der Labour-Regierung – entstandenen Fernsehkanals Channel 4, der nicht selbst produzieren, sondern Auftragsarbeiten innerhalb Großbritanniens vergeben sollte, nicht möglich gewesen. Der landesweite Sender spezialisierte sich auf eine Art Bürgerfernsehen, in dem ethnische Minderheiten und andere gesellschaftlich benachteiligte Bevölkerungsgruppen zu Wort kamen.

Der Einstieg in die Spielfilmproduktion, womit der Sender ausschließlich freie Produzenten beauftragte, wurde begünstigt durch ein Gesetz, das Investitionen in Spielfilme im ersten Jahr von den Steuern befreite, sowie durch eine Förderung des »British Film Institute«. Nach den ersten internationalen Erfolgen unter den circa zwölf Filmen, die jährlich für Channel 4 produziert, zunächst jedoch im Kino zu sehen waren, vergaben auch andere englische Sender Aufträge an freie britische Produzenten.

Die Regisseure des Neuen Britischen Kinos haben erkannt, daß unsere Gesellschaft nicht mehr aus ›normalen Durchschnittsbürgern‹, sondern aus Außenseitern besteht. Die neuen Alltagshelden sind z. B. ein junger Pakistani und ein arbeitsloser Brite,

die im gemeinsamen Aufbegehren gegen Rassismus und Vorurteile der Leistungsgesellschaft einen maroden Waschsalon zum Hochglanzunternehmen aufmöbeln und sich dabei ineinander verlieben. »Mein wunderbarer Waschsalon«, eine Auftragsarbeit von Channel 4, war 1985 ein Überraschungserfolg des vom Theater kommenden Regisseurs Stephen Frears (*1941).

Die Gesellschaft besteht aus Außenseitern

Das künstlerische Ergebnis war freilich weniger homogen als das Schlagwort Neues Britisches Kino vermuten läßt. Im Vergleich zum italienischen Neorealismus, zur französischen Nouvelle vague oder zum Neuen Deutschen Film mangelte es dem *New British Cinema* an filmästhetischen Gemeinsamkeiten ebenso wie am typischen Aufbruchsgeist einer das Medium reflektierenden Gruppe von Künstlern. Neben großangelegten Epen wie Roland Joffés »Mission« (1986) und »Reise nach Indien« (1984) vom Hollywood-Heimkehrer David Lean, die amerikanische Erfolgsmuster vorzüglich mit britischer Qualität verbanden, standen eine Reihe von Lower-Class-Filmen, die in guter angelsächsischer Tradition Geschichten um Arbeitslose, Gauner, Prostituierte und schwule Kleinunternehmer auf die Leinwand brachten. Von Stephen Frears rassismuskritischem »Mein wunderbarer Waschsalon« (1985) bis zu Danny Boyles schockierendem Junkie-Portrait »Trainspotting – Neue Helden« (1995) zieht sich ein roter Faden des Engagements für gesellschaftliche Außenseiter.

In den sozialkritischen Filmen des Neuen Britischen Kinos dokumentiert sich die Erkenntnis, daß jedes Fragment einer Gesellschaft wichtig ist und daß es deshalb nicht nur eine, sondern mehrere Wirklichkeiten gibt. Mit ihrem Eintreten für gesellschaftliche Randgruppen protestierten die Filmemacher gegen die herrschende Gerechtigkeitsversion der Thatcher-Regierung, gegen das Diktat der Mehrheit und der Anpassung sowie für die Heterogenität einer immer multikulturelleren Gesellschaft.

Im Vergleich zu diesen oft komödiantischen sozialkritischen Studien wirken die romantischen Literaturverfilmungen von James Ivory (»Zimmer mit Aussicht«, 1987) hochgradig durchästhetisiert. Die Filme des gebürtigen Amerikaners und seines amerikanischen Produzenten Ismail Merchant gehören zu den international erfolgreichsten des Neuen Britischen Kinos, vielleicht weil sie besser noch als die Engländer selbst das Klischee vom typisch Englischen reproduzieren: psychologisch hintergründige Oberschichtsdramen in schwelgenden Aufnahmen englischer Landschaft und Architektur.

Durch eine innovative Bildsprache, experimentelle Ästhetik und Tabubrechungen zeichnen sich die Filme der bildenden Künstler Derek Jarman (1942–94) und Peter Greenaway (*1942) aus. Jarmans wiederkehrendes Thema ist das Aufspüren homosexueller Identität: In »Caravaggio« (1986) und »Edward II.« (1991) wählte er dazu das Gewand historischer Stoffe, während er sein Publikum in seinem letzten Film »Blue« (1993) mit seiner Aids-Erkrankung konfrontierte. Seine Vergangenheit als Maler und Bühnenbildner eröffnete ihm einen erfrischend neuen Zugang zur Bildgestaltung, die immer eine aktive Rezeptionshaltung des Zuschauers herausforderte. »Blue« zeigt über 80 Minuten nichts als eine blaue Leinwand, während aus dem Off Passagen aus Jarmans Tagebüchern gelesen werden.

Der exzentrische Peter Greenaway begann wie Jarman als Experimentalfilmer, doch schon sein erster Spielfilm, »Der Kontrakt des Zeichners« (1982), wurde ein internationaler Erfolg. Seine Filme sind komplexe Rätselspiele voller Zitate aus der abendländischen Bildungstradition (»Prosperos Bücher«, 1991) und schokkierten durch bizarre Geschichten um Themen wie Impotenz, Verbrechen und Kannibalismus (»Der Koch, der Dieb, seine Frau und ihr Liebhaber«, 1989).

Derek Jarman erzählt in »Caravaggio« die Geschichte des homosexuellen Malers, der sich den gesellschaftlichen Normen nicht beugen wollte. Der Film ist zugleich eine Reflexion über die Wechselwirkung zwischen Kunst und Eros.

Peter Greenaway erzählte wie nur wenige Regisseure der 80er Jahre seine Filme in opulenten Bildern und Farben. In der Stilisierung seiner Settings orientiert er sich an der bildenden Kunst, inszeniert mit den Gestaltungsmitteln des Theaters. Seine Geschichten, die er in oft rätselhaften Bildfolgen präsentiert, brechen mit den letzten gesellschaftlichen Tabus und sind daher bei Publikum und Kritik äußerst umstritten. Szene aus »Der Koch, der Dieb, seine Frau und ihr Liebhaber« (1989).

Der neue Boom des Kinofilms

Der internationale Medienmarkt wird heute von wenigen weltweit agierenden Entertainment-Konzernen aus den USA, Japan, Deutschland und Australien beherrscht, die ihr Geld zur Produktion von Kinofilmen freilich in erster Linie in die Traumfabrik Hollywoods investieren.

Während in den europäischen Staaten Film als Kunstform gefördert wurde, hatten die Amerikaner die Produktion von Anfang an mit dem Ziel der Gewinnmaximierung betrieben und strebten auch während der schlimmsten Krise der Branche, in den 60er und 70er Jahren, unablässig danach, ihre Filme den sich wandelnden Gesetzen des Marktes anzupassen und neue Absatzmärkte zu erschließen. So stellen seit Mitte der 70er Jahre wieder die Filme Hollywoods, freilich eines verjüngten New Hollywood, die Hauptattraktion für das langsam zurückkehrende Weltkinopublikum dar; amerikanische Filmproduzenten sind heute mit einem Anteil von 80 % am Weltmarkt beteiligt und vermelden seit 1985 fast jährlich neue Umsatzrekorde. Um nur ein Beispiel aus den 90ern zu nennen: Galt Steven Spielbergs »Jurassic Park« 1993 mit einem Einnahmerekord von 50,16 Mio. Dollar am ersten Wochenende als erfolgreichster Film aller Zeiten, so wurde er bereits 1996 von Brian de Palmas »Mission: Impossible« (74,13 Mio. Dollar) abgehängt, bis Spielberg 1997 mit dem Sequel »The Lost World – Jurassic Park« (über 100 Mio. Dollar) wieder auftrumpfen konnte. Mithalten kann da nur noch, wer sich an Hollywoods Erfolgsrezepte anpaßt, und selbst dann kommt den vergleichsweise starken Filmindustrien Hongkongs, Indiens und Europas nur eine marginale Bedeutung auf dem Weltmarkt zu.

New Hollywood in den 70ern: »Think young«

Die Erneuerung Hollywoods ging nach dem Niedergang der großen Studios und der tiefen ästhetischen Krise der »Sad Sixties« von kleinen, unabhängigen Produzenten aus. Während das alte Hollywood sich ohne Blick auf die Kosten mit immer oberflächlicheren Musicals und Historienschinken, die immer weniger Leute sehen wollten, selbst das Grab schaufelte, erkannten die Unabhängigen bereits, daß in der Aufbruchstimmung der späten 60er Jahre eher aktuelle, gegenwartsbezogene Themen gefragt waren. Roger Corman (*1926), Produzent und Regisseur, gehörte zu einer Gruppe von Filmschaffenden, die mit gut inszenierten Low-Budget-

Ebenso wenig wie das Wetter läßt sich der Erfolg eines Films mit letzter Gewißheit vorhersagen. So gehören zu Hollywoods Riesenknüllern seit jeher auch spektakuläre Pleiten. Michael Ciminos »Heaven's Gate« spielte bei Produktionskosten von 44 Mio. Dollar nur 1,5 Mio. Dollar ein, und Schauspieler-Produzent Kevin Costner ging mit dem bis dahin teuersten Filmprojekt aller Zeiten, seinem 170 Mio. Dollar verschlingenden »Waterworld« 1994 buchstäblich baden.

»Easy Rider« traf offensichtlich den Nerv der Zeit: Unterlegt von einem erregenden Rocksound, zelebriert der Film den Freiheitstraum der Hippie-Jugend in den vorbeiziehenden Bildern einer überwältigenden Landschaft. Die Motorrad-Ritter der Landstraße sind jedoch Außenseiter, die auf der Suche nach dem uramerikanischen Mythos von Freiheit und Toleranz nur auf Spießertum, Zynismus und Gewalt treffen. Ihre Traumreise wird zum Alptraum und endet in ihrem sinnlosen Tod auf der Straße.

Produktionen, Horrorfilmen, Teenager-Komödien, Drogen- und Motorradfilmen, zunächst nur ein Insider-Publikum erreichten. Bob Rafelson, Jack Nicholson, Peter Fonda und Dennis Hopper arbeiteten wie in den ganz frühen Zeiten der Filmindustrie abwechselnd als Regisseure, Produzenten oder Schauspieler dieser Filme.

Mit »Easy Rider«, an dem Hopper als Regisseur, Fonda als Produzent und beide neben Nicholson als Darsteller beteiligt waren, verhalfen sie 1969 dem Genre des Road Movies zu weltweiter Popularität. Der überraschende Erfolg des Films, der bei Produktionskosten von 400 000 Dollar über 50 Mio. Dollar einspielte, ebnete weiteren Außenseitern den Weg ins große Geschäft und löste eine Welle von Imitationen aus. Herausragende unabhängige Produktionen waren Robert Altmans Kriegsparodie »M*A*S*H« (1969), Sidney Lumets Polizeifilm »Serpico« (1973) und David Lynchs »Eraserhead« (1977). Russ Meyer kreierte eine witzig-kritische Mixtur aus Sex- und Actionfilmen (u. a. »Super Vixens«, 1975), während John Cassavetes' schwer zu kategorisierende Off-Hollywood-Produktionen mit ihrer glänzenden Schauspielerarbeit, originellen Bildsprache und ihrem neuen filmischen Blick auf Geschlechterrollen großen Einfluß auf die nachfolgende Generation von Regisseuren ausübten.

Die Hollywood-›Majors‹ widmeten diesen Außenseitern seit Beginn der 70er Jahre größere Aufmerksam-

Jack Nicholson (*1937) ist einer der ersten Stars von New Hollywood. Für die Hauptrolle in Miloš Formans »Einer flog über das Kuckucksnest« (1975), einer Parabel über den Konflikt zwischen Individualität und Konformismus, die ein Irrenhaus als Sinnbild für die gesamte amerikanische Gesellschaft wählt, erhielt er seinen ersten Oscar.

Auf der Suche nach Themen und Stoffen, die das Gegenwartspublikum beschäftigen, stieß New Hollywood auf den Vietnamkrieg. In einer ganzen Welle von Filmen, angefangen bei Michael Ciminos »Die durch die Hölle gehen« (1978) über Francis Ford Coppolas »Apocalypse Now« (1976–79), die »Rambo«-Serie (1982–87) mit dem Hauptdarsteller und Drehbuchautor Sylvester Stallone bis zu Kubricks »Full Metal Jacket« (1987), schwankt die

Auseinandersetzung immer wieder zwischen dem Abscheu vor der eigenen Brutalität und dem Versuch, die erste große militärische Niederlage zu verarbeiten. Szene aus Oliver Stones eindrucksvollem Antikriegsfilm »Platoon« (1986).

keit und begannen Themen, formale Innovationen und die Stars des Gegenkinos selbst zu absorbieren. Junge Filmemacher wie Robert Altman, Peter Bogdanovich, Francis Ford Coppola und Martin Scorsese erhielten plötzlich eine Chance. Mit Geschichten um Homosexualität und Rassismus, sexuelle Probleme und den Generationenkonflikt wurden sie – in Hinblick auf die sich wandelnde Publikumsstruktur – auf jugendliche Zuschauer angesetzt.

Wer jedoch in Hollywood reüssieren wollte, mußte sich auch den Anforderungen der Traumfabrik anpassen. Der eigenwillige Künstler John Cassavetes z. B. schwor sich, nachdem er keine glücklichen Erfahrungen mit Auftragsarbeiten für Hollywood gemacht hatte, nie wieder für ein Studio Regie zu führen. Die meisten seiner späteren Filme entstanden Off-Hollywood; der vorzügliche Schauspieler steckte alles Geld, das er mit Rollen in erfolgreichen Filmen wie »Rosemaries Baby« (1967) verdiente, in eigene Projekte. Regiekünstler wie Cassavetes verschafften dem amerikanischen Kino vor dem Hintergrund einer sich grundsätzlich verändernden Kunstauffassung ein neues Ansehen. Fortan wurden auch Filme des amerikanischen Unterhaltungs- und Genrekinos wie bisher nur Theater oder Literatur von den Feuilletons beachtet.

Der Siegeszug der *movie brats*

Allerbeste Voraussetzungen für das Wandeln auf dem schmalen Grat zwischen den kommerziellen Anforderungen Hollywoods und dem eigenen inhaltlichen und künstlerischen Anspruch brachten dagegen die *movie brats* (etwa: »Film-Gören«), wie die Amerikaner ihre Nachwuchsregisseure der frühen 8oer Jahre nannten, mit. Der typische *movie brat* war um oder nach 1940 geboren, hatte sein Handwerk bereits an einer Filmakademie erlernt und schätzte das europäische Autorenkino ebenso sehr, wie er Hollywoods Klassiker liebte.

Das Anknüpfen an die große Tradition der Traumfabrik ist einer der Haupttrends, die sich im New Hollywood der 8oer Jahre ausmachen lassen. Leidenschaftlich oder liebevoll ironisch sind die Tribute, die Regisseure wie Francis Ford Coppola, George Lucas, Steven Spielberg, Martin Scorsese, Brian de Palma, John Carpenter und Mel Brooks ihren großen Vorbildern zollen – in Anleihen bei den Klassikern oder gar Remakes der großen Filme. Die Ästhetik New Hollywoods ist eine postmoderne Ästhetik des Zitats.

John Carpenter drehte 1982 ein pessimistischeres Remake von Howard Hawks' »Das Ding aus einer anderen Welt«, das er weidlich dazu nutzte, die Möglichkeiten neuer Tricktechniken zur Schau zu stellen; 1976 hatte er in »Assault – Anschlag bei Nacht« bereits den Konflikt aus dessen Westernklassiker »Rio Bravo« zum modernen Großstadtwestern aktualisiert. Brian de Palma huldigte dem Genre-Meister 1983 mit einer düsteren und gewaltverliebten Neuverfilmung des berühmten Gangsterfilms »Narbengesicht« (»Al Pacino – Scarface«); berühmt geworden war er durch seine Hitchcock-Reminiszenzen »Schwarzer Engel« (1976), eine Variation des Stoffes von »Aus dem Reich der Toten« und dem Thriller »Dressed to kill« (1980), der sich auf das Meisterwerk »Psycho« bezieht.

Doch die *movie brats* rekurrierten nicht nur auf einzelne Filme ihrer großen Hollywoodmeister, sondern besannen sich grundsätzlich wieder auf das klassische Genrekino, das sich in den 60er Jahren totgelaufen hatte. Diese Rückkehr zu bewährten Erfolgsmustern legte den Grundstein für den Wiederaufstieg Hollywoods. Das Risiko von Genre-Produktionen ist berechenbar: Die Rezeptur ist bekannt, sie sind einfach zu fabrizieren und können als standardisierte Massenware einem breiten Publikum in der ganzen Welt verkauft werden.

Die Übernahme Hollywoods durch die traditionsbewußten und zugleich innovativen *movie brats* läßt sich an drei legendären Filmen der 70er festmachen. 1971 gelang Francis Ford Coppola (*1939) mit »Der Pate« ein Meisterwerk des Gangsterfilms, das ein gesellschaftskritisches Anliegen mit reißerischer Unterhaltung perfekt verbindet und alle bisherigen Kassenerfolge Hollywoods, also auch »Vom Winde verweht« (1939) und

Nicht alle Genres wurden in New Hollywood wiederbelebt: Western, Kriminalfilm, Familienmelodrams und Gangsterfilm wanderten – meist in Serien aufgelegt – ins Fernsehen ab. Am erfolgreichsten reanimiert wurden Science Fiction, Abenteuerfilm und das blutige Geschäft mit dem Horror. John Carpenter setzte 1978 mit »Halloween – Die Nacht des Grauens« neue Maßstäbe, sowohl was die außergewöhnliche Brutalität als auch die formale Qualität des Genres angeht.

Zum Teil verdankt »Der Pate« seinen Erfolg den schauspielerischen Glanzleistungen eines alten und eines jungen Hollywoodstars: Marlon Brando (rechts) und Al Pacino (links).

»Doktor Schiwago« (1965), die unangefochtenen Blockbuster der Vergangenheit, in den Schatten stellte. Nach dem langen Siechen der Filmindustrie schien ein neues Zeitalter angebrochen, denn 1974 legte Newcomer Steven Spielberg (*1947) mit dem Thriller »Der weiße Hai« nach, der in der Tradition von Hitchcocks »Die Vögel« die Angst vor der Rache der gebeutelten Natur am Umweltsünder Mensch beschwört. Nur drei Jahre konnte Spielberg den ersten Platz auf der Bestenliste der »All Time Tops« verteidigen, bis er von George Lucas (*1944) und seinem »Krieg der Sterne« (1977), der im Gefolge von Kubricks »2001 – Odyssee im Weltraum« (1965–68) die Renaissance des Science-Fiction-Genres einleitete, abgelöst wurde.

Blockbuster in Folge

Die Kassenschlager der 70er machten Coppola, Lucas und Spielberg zu Superstars am Regiehimmel Hollywoods, wo sie bis heute das ganz große Filmgeschäft mitbestimmen. Ihre Debüterfolge repräsentieren alles, was New Hollywood ausmacht. »Der Pate«, »Der weiße Hai« und »Krieg der Sterne« sind Genreproduktionen, die nach den Erfolgsmustern des traditionellen Hollywood gestrickt sind und zugleich mit dem Einsatz moderner Tricktechnologien und der Qualität ihrer Drehbücher neue Maßstäbe setzten. Alle drei Filme sind auf kommerziellen Erfolg getrimmte Blockbuster, die innerhalb weniger Wochen ihre Produktionskosten wieder einspielten.

George Lucas' »Krieg der Sterne« katapultierte die Filmindustrie in eine neue wirtschaftliche Dimension. Seine Vermarktung beschränkte sich nicht auf die Einnahmen an den Kinokassen, der Fantasy-Science-Fiction bescherte dem jungen Videohandel einen ersten

Bestseller und erzielte zugleich hohe Nebeneinnahmen durch den Verkauf von Fanartikeln. Kein Wunder, daß die Filmindustrie solche Goldminen jeweils ein zweites und drittes Mal mit sogenannten *sequels* auszubeuten versuchte. Zwar gelingt es nur selten, mit Fortsetzungen an die Qualität des Originals anzuknüpfen, der Kassenerfolg ist dennoch garantiert. Die gewinnbringenden Folgefilme von »Der Pate«, »Der weiße Hai« und »Krieg der Sterne« haben dazu geführt, daß ein *sequel* schon bei der Herstellung eines voraussichtlichen Blockbuster eingeplant wird. So läßt Carpenter in »Halloween – Die Nacht des Grauens« (1978) die vermeintliche Leiche des wahnsinnigen Meuchelmörders auf unerklärliche Weise verschwinden – ein erstklassiger Gruseleffekt und die Option auf eine Fortsetzung. Bis 1990 mußte Michael Myers fünfmal an den Ort seiner Untaten zu-

rückkehren und sein blutiges Handwerk fortsetzen.

Ähnlich erging es Silvester Stallones muskelbepacktem Aufsteiger »Rocky«, der ebenfalls fünfmal in den Boxring geschickt wurde, während »Superman« ›nur‹ viermal gegen den Erzbösewicht Lex Luther antreten durfte.

Daß ein Filmstoff auch viele Jahre nach seiner Erstfilmung noch gut für ein *sequel* sein kann, zeigt die fortwährende Wiederauferstehung von »Alien – Das unheimliche Wesen aus einer fremden Welt« (1979), das 1997 zum vierten Mal die Kinos heimsuchte. George Lucas hat diesen Trend bereits 1977 vorausgesehen: Im Vertrag mit der Twentieth Century Fox verkaufte er die Verleihrechte für »Krieg der Sterne« unter Wert und handelte dafür das alleinige Besitzrecht an möglichen Fortsetzungen aus. Zur Zeit arbeitet er, inspiriert vom

Seit den 70ern wird der Einsatz möglichst spektakulärer Special Effects immer wichtiger für den Kassenerfolg eines Films. Die Herstellung und Wartung der drei hydraulisch animierten Polyurethan-Monster, die abwechselnd die Titelrolle in »Der weiße Hai« verkörperten, soll über 3 Mio. Dollar, d. h. ein Drittel des gesamten Produktionsetats, verschlungen haben.

May the force be with you

Als märchenhafte Mischung aus allem, was Hollywood so schön bunt und erfolgreich macht, fasziniert der »Krieg der Sterne« auch noch das tricktechnisch verwöhnte Publikum von heute. 1997 warf Lucas eine mit Hilfe digitaler Technik in Ton und Bild verbesserte Wiederaufführung der Trilogie auf den Markt, die innerhalb weniger Wochen 25 Mio. Amerikaner in die Kinos lockte.

Wiederaufnahmeerfolg der »Krieg-der-Sterne«-Trilogie, an einem sogenannten *prequel*, das die Vorgeschichte der ersten Folge erzählt.

In Personalunion: Regie und Produktion

Die Trendsetter Coppola, Lucas und Spielberg stehen für ein weiteres Phänomen des New Hollywood. Hatten im alten Studiosystem die Finanzverantwortlichen den Einfluß der Künstler immer weiter beschnitten und ihnen sogar das Recht des letzten Schnitts vorenthalten, so kehrte sich diese Entwicklung im neuen Hollywood um. Die Künstler, zunächst die Starregisseure und in ihrer Folge auch immer mehr Starschauspieler, griffen wieder nach der Macht und übernahmen auch die finanzielle Verantwortung für ihre Projekte. Mit Hilfe der enormen Einnahmen aus dem Merchandising von »Krieg der Sterne« erfüllte sich George Lucas einen Traum und gründete unter dem Namen Lucasfilm Ltd. sein eigenes Filmimperium. Für die Fortsetzungen »Das Imperium schlägt zurück« (1979) und »Die Rückkehr der Jedi-Ritter« (1982) schrieb er nur noch das Drehbuch und widmete sich fortan der Weiterentwicklung der Special-Effects-Technologie. Vor ihm hatte bereits sein Mentor Francis Ford Coppola mit der Gründung eines alternativen Studios, Zoetrope, den festgefügten Machtstrukturen der Hollywood->Majors<, wenn auch weniger erfolgreich, etwas entgegenzusetzen versucht. Den Schritt vom herausragenden Regisseur zum Tycoon des Filmgeschäfts, der mit Microsofts Bill Gates um den Rang

In seiner Weihnachtsfernsehshow des Jahres 1991 befragte Bob Hope den elfjährigen Macaulay Culkin über die kurz vor der Erstaufführung stehende Fortsetzung des Kassenknüllers »Kevin allein zu Haus« (1990): »Wie konnten deine Filmeltern dich ein zweites Mal ›allein zu Haus‹ lassen?« Und der bestbezahlte Kinderstar der Welt erklärte: »Weil das Studio beim ersten Mal 500 Mio. Dollar eingesackt hat!« (Zit. n.: Das neue Guiness Buch des Films)

des reichsten Amerikaners rivalisiert, schaffte Steven Spielberg. Wie kein anderer beeinflußte er die amerikanische Alltagskultur mit eigenen Regie-Arbeiten und Produktionen aus der Spielberg-Factory.

Der jüngste Tycoon

Die Erfolgsstory von »Hollywoods Wunderkind« begann beim Fernsehen, wo Spielberg als 22jähriger Regisseur von Serienhits wie »Columbo« auf sich aufmerksam machte. Die Flops seines ersten Kinofilms »Sugarland Express« (1974) und seiner vierten Arbeit »1941 – Wo, bitte, geht's nach Hollywood?« (1979) konnte er mit den Kassenknüllern »Der weiße Hai« und der für Lucasfilm realisierten Indiana-Jones-Serie (»Jäger des verlorenen Schatzes«, 1980; »Indiana Jones und der Tempel des Todes«, 1983; »Indiana Jones und der letzte Kreuzzug«, 1988) mehr als wettmachen.

Spielberg huldigte in seinem Werk immer wieder dem großen Hollywoodkino und demonstrierte sein außergewöhnliches handwerkliches Können an allen Mode-Genres des New Hollywood: »Der weiße Hai« (1974) ist ein reißerischer Horrorfilm, die Indiana-Jones-Serie bietet spannendes Action-Abenteuer, »Unheimliche Begegnung der dritten Art« (1977)

und »E. T. – Der Außerirdische« (1982) sind herausragende Beispiele der Fantasy-Science-Fiction-Welle der 80er Jahre in bester Disney-Tradition. Mit seinen Dinosaurier-Thrillern um die Bewohner des »Jurassic Park« (1993 und 1996) bewies Spielberg einmal mehr, daß die handwerklich perfekte Mixtur aus klassischem Thriller-Plot, der dazugehörigen Spannungsdramaturgie und den neusten Sensationen aus der Special-Effects-Küche der Computeranimateure einen unfehlbaren Kassenerfolg einfährt.

Dabei setzt Spielberg nicht nur auf Effekte und Suspense, sondern auch auf die Emotionen seines Publi-

Bei einer Erkundungstour läßt ein ›extraterrestrisches‹ Raumschiff versehentlich den liebenswürdigen E. T. auf der Erde zurück. Der kleine Eliott freundet sich mit dem scheuen Außerirdischen an und beschützt ihn vor dem hemmungslosen Forscherdrang der Erwachsenen. Schließlich verhilft der Zehnjährige dem Heimwehkranken sogar zur Rückkehr »nach Hause«. Das spannungsvoll und mit viel Humor verfilmte Glanzstück des neuen Familienkinos führte zehn Jahre lang die ewige Bestenliste an und wurde bezeichnenderweise erst von einem neuen Spielberg-Knüller, »Jurassic Park«, verdrängt.

kums. Immer wieder sind es die kindlichen Helden seiner Filme, die die Erwachsenen im Publikum an den Traum einer friedlicheren und besseren Welt erinnern. »Die Farbe Lila« (1986), »Das Reich der Sonne« (1987) und »Schindlers Liste« (1993) sind Versuche, mit der Verfilmung seriöser Literatur auch als Filmkünstler von sich reden zu machen.

Seit Beginn der 8oer Jahre engagiert sich Spielberg auch als Produzent. Er schulte und protegierte das Nachwuchstalent Robert Zemeckis, dessen Blockbuster »Zurück in die Zukunft I–III« (1985/1989/1990) und »Falsches Spiel mit Roger Rabbit« (1988), einer faszinierenden Kombination von Spiel- und Zeichentrickfilm, man die Handschrift der Spielberg Factory ebenso ansieht wie Tobe Hoopers hochklassigem Horrorfilm »Poltergeist« (1982) und Joe Dantes boshafter Grusel-Farce »Gremlins – Kleine Monster« (1983), um nur die erfolgreichsten zu nennen.

New Hollywood als Autorenkino

Das Wiedererstarken Hollywoods beruht auf der konsequenten Orientierung an Marktgängigkeit: Der Trend zu immer teureren Filmen, die im Hinblick auf das anzusprechende Weltpublikum hochgradig standardisiert und kulturell kompatibel sein müssen, um schließlich immer mehr Geld einzuspielen, hält bis heute an. Gleichzeitig wurden die Produkte Hollywoods ironischerweise sogar in Amerika zunehmend als Kunstwer-

Zu einem beliebten Thema New Hollywoods wurde die Wiederentdeckung der jüngeren amerikanischen Vergangenheit in Filmen, die in liebevoll rekonstruierten Dekors der 40er und 50er Jahre spielen – ein Indiz für die Heraufbeschwörung einer besseren alten Zeit, in der man sogar noch ins Kino ging. Szene aus Robert Zemeckis' »Zurück in die Zukunft«.

ke wahrgenommen. Die einflußreiche »New York Times« besprach Kino-Premieren plötzlich mit einer Ernsthaftigkeit, die bisher dem Theater, der Literatur und der bildenden Kunst vorbehalten war. Das wachsende Interesse an der Entwicklung einer amerikanischen Filmkunst ermutigte einige Regisseure des kommerziellen Kinos, an einer persönlichen künstlerischen Handschrift zu arbeiten und sowohl innovative Film-

Melancholische Komödien sind die Spezialität des Independent-Regisseurs Jim Jarmusch, der am Rande des Mainstream vom allgemeinen Aufschwung des Kinos in den 80er Jahren profitierte. »Down by Law« (1986), die Schelmengeschichte eines aus dem Zuchthaus entflohenen Trios, das sich auf seinem Weg durch Louisiana gegenseitig schätzen und achten lernt, erlangte auf Anhieb Kultstatus beim Programmkino-Publikum.

sprache als auch anspruchsvolle Themen in die Produktionen für das Massenpublikum einzubringen.

Als einer der originellsten Filmemacher des New Hollywood gilt Robert Altman (*1925). Er nutzt die Konventionen des Genre-Kinos, um sie gewissermaßen gegen sich selbst und damit gegen die ideologischen Grundfesten Amerikas zu wenden: »McCabe und Mrs. Miller« (1971) ist ein Anti-Western, »M*A*S*H« (1969) eine bitterböse Kriegsfilm-Parodie, während die Backstage-Satire »The Player« (1992) Hollywood selbst aufs Korn nimmt und Inhalte wie Formen der Traumfabrikprodukte kritisiert. Altmans Filme bestechen immer wieder durch den ungewöhnlichen Einsatz tontechnischer Effekte. Dialoge gleichzeitig stattfindender Gespräche überlappen, Musik und Off-Stimmen verbinden scheinbar unzusammenhängende Bilder und Erzählstränge. Mit seinen abrupten Schnitten und ständigen Wechseln der Kameraperspektive kreierte er eine eigenwillige Bildsprache, die Wirklichkeit in unterschiedliche Sichtweisen disparater Individuen fragmentarisiert. So folgt sein Meisterwerk »Nashville« (1974) in vielen kleinen Episoden den Spuren von 24 Menschen, die sich ein Wochenende lang auf derselben großen Wahlparty eines Präsidentschaftskandidaten bewegen.

Die entmystifizierende Auseinandersetzung mit amerikanischen Träumen kennzeichnet das Werk von Martin Scorsese (*1942). Seine Filme zeigen ungeschminkte Bilder Amerikas in detailgetreuen Milieustudien. Seine Helden, immer wieder verkörpert durch den vorzüglichen Robert de Niro, sind Außenseiter, die sich aus den mafiösen Sozialstrukturen und dem rigiden Katholizismus ihres Umfelds mit

Regisseur Robert Altman bei Dreharbeiten zu »Short Cuts« (1993), einem Kaleidoskop von Episoden aus dem Leben von 22 kalifornischen Paaren. Ihm gelang das beunruhigende Portrait einer Gesellschaft, in der wahre Gefühle ebenso selten geworden sind wie Verantwortlichkeit, Intimität und Scham.

äußerster Brutalität zu befreien suchen. So richtet in »Taxi Driver« (1975) ein psychisch deformierter Kleinbürger, im Wahn, für ein sauberes Amerika zu kämpfen, ein Blutbad an.

Setzten andere *movie brats* in ihrem Streben nach innovativem filmsprachlichem Ausdruck v. a. auf High-Tech und Special Effects, beeindruckte Scorsese mit seiner dynamischen Kameraführung, deren Rhythmus in enger Beziehung zum Soundtrack entstand. Seine filmische Handschrift vermischt stilisierte Formen des klassischen Genrekinos mit realistischen, autobiographisch inspirierten Bildern des modernen Großstadtlebens. Scorseses Karriere, stets von höchstem Kritikerlob begleitet, spiegelt die Schwierigkeiten eines amerikanischen Autorenfilmers zwischen den notwendigen Zugeständnissen an Hollywood und der eigenen künstlerischen Ambition. Um seine lang gehegten Wunsch-Projekte wie z. B. den kafkaesken Alptraum eines Yuppies, »Die Zeit nach Mitternacht« (1985), verwirklichen zu können, ließ er sich immer wieder darauf ein, auch

populäre Durchschnittsfilme wie »Die Farbe des Geldes«
(1986) oder »Kap der Angst« (1991) zu inszenieren.

Unverwechselbar unter den amerikanischen Auto-
renfilmen sind die Komödien und Kammerspiele Woody Allens (*1935). Wie kaum ein anderer amerikanischer Filmemacher genießt das Multitalent ungewöhnliche Freiheit in seiner Zusammenarbeit mit großen
Hollywoodstudios (zunächst United Artists, dann
Orion): Der Autor und Regisseur kontrolliert jede Phase
der Produktion vom Drehbuch über die Besetzung bis
zum letzten Schnitt. Während in den frühen Slapstick-
komödien manchmal noch die Albernheit des ehemaligen Fernseh-Gagschreibers durchschlug, orientierte
sich Allen seit Ende der 70er Jahre immer mehr an seinen europäischen Vorbildern Fellini und Bergman
und drehte hintergründige Mischungen aus beißender
Satire und subtilem Psychodrama. Mit dem »Stadtneurotiker« (1977) betrat ein neuer komischer Typus die
Leinwand, den Allen – wie fast alle Hauptrollen seiner
Filme – selbst spielte und von »Manhattan« (1978) bis
»Deconstructing Harry« (1997) stetig weiterentwickelte.
Mit der Schilderung der psychologischen Konflikte des
hypersensiblen und komplexbeladenen jüdischen Intellektuellen wurde der z. Zt. erfolgreichste Komiker Amerikas zum Chronisten der Neurosen unserer Zeit. Aus-
flüge ins ernste Kammerspiel (»Innenleben«, 1978), ins
Melodrama (»The Purple Rose of Cairo«, 1984) und un-

In »Wie ein wilder Stier«
(1979) demontiert Scor-
sese den amerikani-
schen Traum, indem er
den Boxweltmeister als
tingelnden Entertainer
enden läßt. Die Biogra-
phie des selbstzerstöre-
rischen, gewalttätigen
Mittelgewichts LaMotta
galt vielen Kritikern als
einer der besten Filme
des New Hollywood.

längst sogar ins Musi-
cal (»Everybody says:
I Love You«, 1996)
zeigen das breite
Spektrum eines Film-
künstlers, der dem
klassischen Holly-
wood ebensoviel ver-
dankt wie dem euro-
päischen Kunstfilm.

Für eine äußerst
gelungene Verbin-
dung von politisch

Der »Stadtneurotiker« ist
der erste in einer Reihe
von Filmen, in denen
sich Woody Allen humor-
voll mit dem Thema
scheiternder Liebe unter
den Bedingungen der
modernen Großstadt be-
schäftigt. Direkte Publi-
kumsadressen, Unter-
titel, die aufdecken, was
wirklich vorgeht, und der
virtuose Einsatz doku-
mentarischer Techniken
und des Erzählens in
Rückblenden machen die
feinsinnige Satire zu ei-
nem Autorenfilm europä-
ischer Prägung. Woody
Allen nahm seine ersten
Oscars (Regie, Dreh-
buch, bester Film) aus
Abneigung gegen Holly-
wood nicht entgegen.

engagiertem und kommerziell erfolgreichem Kino steht die Arbeit von Spike Lee (*1956), dem einzigen afro-amerikanischen Filmemacher, der sich in den 80er Jahren in Hollywood etablieren konnte. Nach »She's Gotta Have It« (1986), einer Liebeskomödie, die ausschließlich mit afroamerikanischem Ensemble und Stab realisiert wurde, drehten sich seine Filme immer wieder um Rassenkonflikte in Gegenwart (»Do the Right Thing«, 1988) und jüngerer Vergangenheit (»Malcolm X«, 1992).

Quentin Tarantino erhielt 1994 für seinen ebenso blutrünstigen wie komischen Thriller »Pulp Fiction« die Goldene Palme von Cannes.

Kino in den 90ern

Nach einer nunmehr über 100jährigen Geschichte ist das so oft beschworene Ende des Kinos oder gar des Films nicht abzusehen. Wirtschaftliche Krisen hat das Medium ebenso überstanden wie ästhetische Flauten und technische Revolutionen. Insgesamt wird das Wesen der Kinematographie wie eh und je von der Logik des Geschäfts und nicht vom künstlerischen Experiment bestimmt. Im Umfeld eines sich wandelnden Freizeit- und Konsumverhaltens kommt der Kultur eine gesellschaftliche Funktion zu, die weniger auf Erbauung oder gar kritische Auseinandersetzung zielt, als vielmehr auf Entlastung und Entspannung von den extremen Leistungsanforderungen unserer Gesellschaft. Im Zuge dieser Entwicklung, aber auch als Reaktion auf die durch langjährigen Film- und Fernsehkonsum geschulte Kennerschaft des breiten Publikums, dessen Ansprüche an Unterhaltung gestiegen sind, haben sich kommerzielles Mainstream-Kino und künstlerisch ambitionierter Autorenfilm deutlich angenähert. Cineasten erfreuen sich an dem postmodernen Road Movie »Wild at Heart – Die Geschichte von Sailor und Lula« (Regie: David Lynch, 1990) oder »Pulp Fiction« (1993), einer Mischung aus skurriler Farce und brutalem Actionkino, während der Erfolg von Ang Lees Jane-Austen-Verfilmung »Sinn und Sinnlichkeit« (1995) die empfindsame Autorin des frühen 19. Jahrhunderts einem Massenpublikum zugänglich machte und Steven Spielberg die Welt mit einem dreistündingen Schwarzweißfilm über den Holocaust (»Schindlers Liste«, 1993) tief bewegte.

Europäische und amerikanische Unterhaltungsware oder Filmkunst läßt sich angesichts eines sich immer stärker an die Rezepte Hollywoods angleichenden Weltkinos ohnehin kaum noch voneinander unterscheiden. Zahllose Remakes europäischer Erfolgsfilme – die neu produziert werden müssen, weil das amerikanische Publikum keine Synchronisationen akzeptiert – beweisen, wie problemlos sich europäisches Kino heute in den amerikanischen Mainstream einfügt.

Das Zeitalter der Computeranimation

Vor 100 Jahren bot der Film etwas nie Dagewesenes: bewegte Abbilder der Realität. Heute kann der Film das als real zeigen, was in der Realität niemals möglich ist. Täuschend echt wirken die Bilder wiederauferstandener Dinosaurier des »Jurassic Park« (1993/1996), verblüffend die Special Effects, die dem »Terminator II«, einem mörderischen Maschinenwesen der Zukunft, erlauben, ohne einen Schnitt durch Wände zu gehen und jede beliebige menschliche oder unorganische Form anzunehmen.

Nach dem ästhetischen Aufbruch der 70er und dem von Umstrukturierungen begleiteten ökonomischen Aufschwung der 80er sind die filmischen Innovationen der 90er Jahre v. a. technischer Natur. Wie vor 100 Jahren lockt man Menschen wieder mit dem Versprechen ins Kino, etwas nie Dagewesenes zu zeigen. »Terminator II – Tag der Abrechnung«, ein Film von James Cameron, löste 1990 dieses Versprechen ein. Das Sequel ist dem heute populärsten Genre, dem Adventure-Action-Thriller, zuzurechnen, der romantische Motive mit Science Fiction und Spannungsdramaturgie kombiniert. Diese Verbindung gibt der Filmindustrie reichlich Gelegenheit, den rasanten Fortschritt der

Die Computeranimationen für »Jurassic Park« stellte die Firma Industrial Light & Magic her, die 1975 von George Lucas gegründet wurde, um die Special Effects für »Krieg der Sterne« zu produzieren. ILM ist die führend auf dem Markt und war beinahe an allen wichtigen Blockbusters der 90er Jahre beteiligt.

Die Computertechnik macht es möglich, jede noch so kleine Partie eines Gesichts digital zu verfremden. Auch die Effekte in der Mischung aus Real- und Animationsfilm »Die Maske« (Regie: Charles Russell, 1994) stammen von den Spezialisten der ILM.

Special-Effects-Industrie zur Schau zu stellen. Die in »Terminator II« angewandte Tricktechnik verschlang mit 17 Mio. Dollar ein Fünftel des Produktionsetats, was deutlich machte, daß, wer künftig Rekordeinnahmen verbuchen will, an der neuen Computeranimationstechnik nicht vorbeikommt. Der Blick auf die kommerziell erfolgreichsten Filme der 90er Jahre, von »Batmans Rückkehr« (1991), Tim Burtons märchenhafter Comicverfilmung, über Zemeckis' Schelmengeschichte »Forrest Gump« (1993) bis Roland Emmerichs Kathastrophen-Science-Fiction »Independence Day« (1995) und den beiden »Jurassic-Park«-Filmen belegt dies.

Höhepunkt der Trickkunst in »Terminator II« sind die buchstäblich fließenden Verwandlungen des oberbösen Flüssigmetall-Cyborg, der ohne Einstellungswechsel vor den Augen des Publikums durch Gefängnisgitter geht, aus einem Linoleumboden auftaucht, die Gestalt eines Uniformierten annimmt und sich nach scheinbar völliger Zerstörung immer wieder regeneriert. Diese Technik, die viel überzeugender als jede konventionelle Überblendung wirkt, nennt man *morphing* oder *shape shifting*. Sie wird nicht mit der Filmkamera, sondern im Computer errechnet und umgesetzt. Anfang und Endpunkt der Verwandlung werden konventionell gefilmt, und der Computer errechnet dann die Verwandlungsphasen zwischen den Eckdaten. Für die Effekte in »Terminator II« wurden allerdings immer noch Zwischenschnitte auf von Hand gefertigte Modelle eingefügt, die dem Filmbild der verschiedenen Verwandlungsstadien Brillanz und Schärfe verleihen. Erst die Realfilmsequenzen lassen den Eindruck eines perfekten *shape shifting* entstehen. Die besondere Leistung sowohl der Maskenbildner und Modellbauer als auch der Spezialisten für die Computeranimation liegt in der unmerklichen Verknüpfung der unterschiedlichen Special-Effects-Techniken. Computeranimation wird nicht nur für spektuläre Effekte eingesetzt, sondern gehört inzwischen zur alltäglichen Post-Production, der Bearbeitung des Rohfilms nach den Dreharbeiten. In der Regel werden Filme noch immer im traditionellen Verfahren auf Film- oder Videomaterial gedreht, um dann am Computer geschnitten und mit den Special Effects versehen zu werden.

Special Effects werden auch heute noch mit sehr vielen verschiedenen Techniken erzeugt. »Jurassic Park« sollte ursprünglich hauptsächlich mit konventionell animierten originalgroßen Saurierpuppen gedreht werden. Der Einsatz digitaler Techniken war nur für eine Szene geplant, in der eine Gallimimus-Herde über einen Hügel laufen sollte. Die Animationen gelangen jedoch so täuschend echt, daß Spielberg immer mehr Computerbilder mit original gedrehten Szenen kombinierte. Darüber hinaus wurde auch mancher Bewegungsablauf, der mit den animierten Saurierpuppen gedreht werden sollte, vorab am Computer choreographiert.

Mit »Forrest Gump« machte Zemeckis auf eine weitere verblüffende Möglichkeit der Computertechnik aufmerksam. Der Titelheld begegnet in einer Szene dem echten John F. Kennedy. Für diesen Effekt wurden *bluescreen*-Aufnahmen von Tom Hanks in dokumentarische Filmaufnahmen eingescant. Um dem Präsidenten die Filmsätze in den Mund legen zu können, wurden seine Lippenbewegungen mit Hilfe der am Computer möglichen Manipulation von Fotografien nach der Vorlage eines zuvor aufgenommenen Schauspielermundes verändert. Ob der Fortschritt tatsächlich bald auch die Schauspieler in digitale Studios einscannen wird, ist längst nur noch eine Frage der Zeit. Theoretisch ist es schon jetzt möglich, durch die Kombination von Bildern real agierender Schauspieler und der aus alten Filmen eingescanten Körperdaten verstorbener Akteure einen neuen Film mit Marlene Dietrich oder Clark Gable herzustellen. Mit »Toy Story«, der Geschichte der Rivalität zweier Spielzeugfiguren um die Gunst ihres Besitzers, entstand bereits 1995 das erste komplett im Rechner generierte Abenteuer. Der Traumfabrik sind heute zumindest technisch kaum noch Grenzen gesetzt.

Ein Beispiel für die Möglichkeiten des *digital composing*: Tom Hanks alias Forrest Gump trifft John F. Kennedy.

Die Herstellung von »Toy Story« (Regie: John Lasseter, 1995) dauerte vier Jahre.

Zeittafel

Kurzer Überblick über die Filmgeschichte

1893 Edison führt erste kleine Endlos-Filmstreifen in seinem Kinetoscope-Guckkasten vor.

1.11.1895 Die Brüder Skladanowsky präsentieren als erste öffentlich ›lebende Bilder‹ in einem Berliner Varieté.

28.12.1895 Die Brüder Lumière zeigen die erste öffentliche Filmvorführung mit dem Cinématographe, der zum Urmodell der Kinotechnik wird. Das erste Programm enthält neben schlichten Alltagsszenen einige Varieténummern.

1896 Gründung der Firma Pathé Frères, die binnen weniger Jahre zum weltweiten Marktführer heranwächst.

1897 Der Illusionist Georges Méliès eröffnet bei Paris ein Filmatelier, in dem er die ersten Special Effects, den Stopptrick und die Doppelbelichtung erfindet.

1899 In Berlin wird das erste ortsfeste ›Ladenkino‹ eröffnet. In den USA verbreiten sich die Nickelodeons, in denen zum Preis von einem Nickel rund um die Uhr Filme gezeigt werden. Das Kino etabliert sich als Unterhaltung für die unteren Schichten.

Um 1900 Die Regisseure der Schule von Brighton verwenden erstmals Einstellungswechsel und Schnitte als dramaturgische Mittel.

1903 Oskar Messter führt in Berlin die ersten ›Tonbilder‹ vor, indem er den Filmprojektor an ein Grammophon koppelt.
Edwin S. Porter präsentiert mit »Der große Eisenbahnraub« einen der ersten Western der Filmgeschichte und gibt mit seiner spannungsreichen Dramaturgie zahlreiche Impulse.

1907 Die Brüder Lafitte gründen eine »Compagnie des Films d'art« in der Absicht, Filme mit Kunstanspruch zu produzieren.

1908 In Italien beginnt man mit »Die letzten Tage von Pompeji« die Produktion von monumentalen Historienfilmen.

1910 Der Däne Urban Gad dreht »Abgründe«, einen der ersten abendfüllenden Langfilme mit dem neuen Star Asta Nielsen in der Hauptrolle.

1911 In Hollywood wird das erste Filmstudio errichtet.

1912 Mack Sennett beginnt mit der Produktion von Slapstick-Komödien.

1915 David W. Griffith realisiert mit »Geburt einer Nation« den ersten amerikanischen Monumentalfilm und setzt mit seiner fortschrittlichen Montagetechnik Maßstäbe für die Entwicklung der Filmkunst.

1916 »The Gulf Between« ist der erste im Zweistreifen-Technicolorverfahren gedrehte Farbfilm.

1919 Mit »Das Cabinet des Dr. Caligari« beginnt die kurze Blüte des expressionistischen Films in Deutschland. Der spezifische Ausstattungs- und Beleuchtungsstil des Films gingen als »Caligarismus« in die Filmgeschichte ein und beeinflußten Genres wie den Horrorfilm und den Film noir.

1920 Der deutsche Pionier der Special Effects, Erich Schüfftan, entwickelt ein Spiegeltrickverfahren zur Kombination von realen Objekten und Personen mit Modellen.
Charles Chaplin dreht mit »The Kid« seinen ersten Langfilm um die Figur des kleinen Tramps.

1921 Murnaus »Nosferatu« begründet das Genre des Vampirfilms.

1922 Robert J. Flahertys »Nanook, der Eskimo« wird zum Vorbild abendfüllender Dokumentarfilme.
In Berlin wird erstmals ein Film mit integrierter Lichttonspur vorgeführt.

Um 1923 setzt sich mit den modernen kessen »Flappergirls« ein neuer weiblicher Startyp durch; Rudolph Valentino wird zum ersten männlichen Sexsymbol.

1924 Gründung von Warner Bros. und MGM

1925 Sergej Eisenstein revolutioniert in »Panzerkreuzer Potemkin« die Kunst der Filmmontage.

1926 Das Zeitalter der großen Filmpaläste bricht auch in Deutschland an: In Berlin eröffnet ein Kino mit 1600 Plätzen.

1927 Nach dem Erfolg von »Der Jazz-Sänger«, dem ersten Tonfilm der Warner Bros., in dem auch gesprochen wird, stellen alle Studios auf die Tonfilmproduktion um.

1928 Luis Buñuel und Salvador Dalí stellen in Frankreich mit »Der andalusische Hund« ein Meisterwerk des Avantgarde-Films vor.
In Disneys »Dampfschiff Willy« erscheint zum ersten Mal Mickey Mouse auf der Leinwand.

1929 Erste Verleihung des Acadamy Award, genannt Oscar.
Die amerikanische Filmindustrie legt mit dem »Production Code« eine Liste von 11 »Don'ts« und 25 »Be Carefuls« zur freiwilligen Selbstzensur ihrer Produkte vor.

1930 Marlene Dietrich beginnt ihre Weltkarriere mit dem Film »Der blaue Engel«. Gemeinsam mit Greta Garbo, Jean Harlow, Mae West und Zarah Leander führt sie einen neuen weiblichen Startypus ein: die Femme fatale. Gleichzeitig wird das Genre des Gangsterfilms populär.

1932 In das Programm der Kunstbiennale von Venedig werden erstmals auch Filme aufgenommen.

1933–39 Musicals und Tanzfilme mit Stars wie Fred Astaire und Ginger Rogers gehören zu den meistbesuchten Filmen; der Kinderstar Shirley Temple (*1928) ist der erfolgreichste Star in den USA.

Um 1935 Die Britische Dokumentarfilmschule setzt neue Maßstäbe in der Verbindung von Ästhetik und Realismus.

1936 Chaplins »Moderne Zeiten« ist einer der letzten Filme, der ohne ein gesprochenes Wort auskommt und trotzdem ein Riesenerfolg wird.

1937 Disney präsentiert mit »Schneewittchen und die sieben Zwerge« den ersten abendfüllenden Zeichentrickfilm.

1939 Jean Renoir dreht sein filmsprachliches Meisterwerk »Die Spielregel«. Selznick produziert mit »Vom Winde verweht« einen der ersten Dreistreifen-Technicolorfilme, der (unter Einbeziehung der Inflation) als der kommerziell erfolgreichste Film aller Zeiten gelten kann.

Ab 1940 Schauspielerinnen wie Ingrid Bergman, Lauren Bacall und Katharine Hepburn setzten neben der weiterhin existierenden Femme fatale den neuen Startyp des selbstbewußten »good bad girl« durch. Als neues Genre etabliert sich die wortwitzige Screwball-Comedy; in den schattenreichen Filmen der »Schwarzen Serie« spiegelt sich die Verunsicherung durch den Zweiten Weltkrieg.

1941 »Citizen Kane« markiert einen Höhepunkt realistischer Filmkunst.

1942 Michael Curtiz dreht »Casablanca«, ein Melodrama im Stil der »Schwarzen Serie«, das in den 60er und 70er Jahren zum Kultfilm eines neuen cineastischen Publikums avancieren wird.

1945 Roberto Rossellini präsentiert mit »Rom – offene Stadt« den ersten neorealistischen Film.

1946 Erste Filmfestspiele in Cannes

1947 Im kommerziell erfolgreichsten Jahr der amerikanischen Filmindustrie beginnt in den USA der Aufstieg des neuen Massenmediums Fernsehen.

1948 Das Entflechtungsurteil beendet die verdeckte Monopolsicherung der fünf großen Studios und zwingt sie, sich von ihren Kinoketten zu trennen.

1950 Die Inhaftierung der Hollywood Ten, die bei der ersten Anhörung des Komitees für unamerikanische Umtriebe die Aussage verweigert hatten, leitet die Phase des »McCarthyismus« ein, die antikommunistische Hetzjagd gegen Persönlichkeiten des öffentlichen Lebens entfesselt wird.

1951 Akira Kurosawa erhält mit der Goldenen Palme (Venedig) für »Rashomon« als erster Japaner einen internationalen Filmpreis und lenkt das weltweite Interesse auf die asiatische Filmkunst; »Grün ist die Heide« ist der größte Kassenerfolg unter den in der BRD Anfang der 50er Jahre populären Heimatfilmen.

1953 Der erste Cinemascopefilm, »Das Gewand«, wird in New York uraufgeführt.

1954 Einführung des Fernsehens in der BRD. In den USA sind bereits 65 % aller Haushalte mit einem Fernsehgerät ausgestattet, was im Kino zu großen Zuschauerrückgängen führt. Die Filmindustrie begegnet der Konkurrenz mit der Einführung technischer Neuheiten wie dem Farb- und Breitwandfilm, dem Stereoton und, weniger erfolgreich, auch mit dem 3-D- und Aromakino.

1955 James Dean und Elvis Presley sind die Superstars der Leinwand. Ihre Filme stehen für die verstärkte Orientierung der Filmindustrie auf das jugendliche Publikum.

1956 Brigitte Bardot beginnt ihre Filmkarriere und verkörpert gemeinsam mit Marilyn Monroe den neuen weiblichen Startyp der naiven Sexbombe.

1958 Mit Truffauts »Sie küßten und sie schlugen ihn« beginnt in Frankreich die Nouvelle vague.

1959 Mit »Außer Atem« erhebt Jean-Luc Godard den Filmschnitt zum sichtbaren künstlerischen Gestaltungsmittel.

1960 Alfred Hitchcocks Thriller »Psycho« ist nur ein Beispiel für des Meisters perfekte Beherrschung von *suspense* und *surprise*. In Frankfurt am Main wird das erste westeuropäische Autokino eröffnet.

1962 Mit »James Bond – 007 jagt Dr. No« startet die bis heute langlebigste Kinofilmserie.

1963 Der Flop des bis dahin größten Mammutfilms »Cleopatra« stürzt die Twentieth Century Fox beinahe in den Ruin.

1964 Sergio Leone beginnt mit »Für eine Handvoll Dollar« die Erfolgsserie des Italo-Westerns.

1967 Warner Bros. wird als drittes Studio an einen großen Unterhaltungskonzern (Seven Arts) verkauft.

1968 Kubrick setzt mit »2001: Odyssee im Weltraum« neue Maßstäbe für das Genre des phantastischen Films.

1970 Der »Schulmädchenreport« gehört zu einer Welle von Softpornos, die in den 70er Jahren die deutschen Kinos überschwemmen.

1971 In Frankfurt am Main eröffnet trotz heftiger Proteste kommerzieller Kinobetreiber das erste kommunale Programmkino.

1974 Steven Spielbergs steile Karriere beginnt mit dem sensationellen Kassenerfolg von »Der weiße Hai«, einem der ersten Filme des verjüngten »New Hollywood«, dessen Höhepunkte nicht mehr Liebes-, sondern Gewaltszenen darstellen und deren Superstars folglich nicht länger Frauen, sondern Männer wie Harrison Ford, Arnold Schwarzenegger und Robert de Niro sind.

Ab 1975 Es entsteht ein neuer weltweiter Markt für Heimvideorekorder und Videotheken.

1977 George Lucas glänzt in seinem Science-Fiction-Märchen »Krieg der Sterne« mit den neuesten technischen Errungenschaften der Special-Effects-Industrie.

1978 R. W. Fassbinder, erfolgreichster Vertreter des Neuen Deutschen Films, erzielt mit »Die Ehe der Maria Braun« internationale Beachtung. Woody Allens »Der Stadtneurotiker« wird mit vier Oscars geehrt; der Regisseur nimmt die Auszeichnung aus Protest gegen Hollywood jedoch nicht entgegen.

1979 Volker Schlöndorffs Verfilmung von Günter Grass' Roman »Die Blechtrommel« wird als bis heute einziger deutscher Film mit einem Oscar in der Kategorie »Bester ausländischer Film« ausgezeichnet. In Toronto eröffnet das erste Multiplex-Kino der Welt, das neben höchstem technischem Standard eine Infrastruktur aus integrierter Gastronomie und Handel bietet, die das Kino zu einem neuartigen Freizeiterlebnis machen soll.

Seit 1980 Als führendes Genre etabliert sich in den 80er Jahren das aufwendig inszenierte Fantasy-Märchen (so Spielbergs »E.T. – der Außerirdische«) und der Adventure-Action-Film (z. B. die »Rambo«-Serie mit dem Star Sylvester Stallone).

Mitte der 80er Jahre Das Medienverhalten in der BRD hat sich grundsätzlich geändert. Videorekorder und Heimcomputer finden sich in fast jedem Haushalt; das Kabelfernsehen setzt sich durch.

1985 Deutschlands erfolgreichster Regisseurin Doris Dörrie gelingt mit »Männer« ein Kino-Hit, der die Ära der Neuen Deutschen Filmkomödie einläutet.

1988 Robert Zemeckis demonstriert die fortschrittlichen Möglichkeiten des *digital composing* in einer Kombination aus Trick- und Realfilm: »Falsches Spiel mit Roger Rabbit«.

1990 Der Erfolg des Kinomärchens »Pretty Woman«, dessen offenes Ende nach dem vehementen Veto der Testzuschauer in ein Happy-End umgewandelt wurde, zeigt, daß das weltweite Filmpublikum im Kino nach wie vor den amerikanischen Traum vom Aufstieg des Underdog und von der großen, alles überwindenden Liebe träumt.

1991 Mit dem Erfolg von »Terminator II« etabliert sich Arnold Schwarzenegger als einer der Spitzenverdiener Hollywoods und wird zum Modell des Leinwand-Heroen der 90er Jahre, der wie sein größter Konkurrent Sylvester Stallone immer häufiger auch als Produzent seiner Filme auftritt.

1992 Die Kinopremiere des *director's cut* von Ridley Scotts »Der Blade Runner« zeigt, wie auch heute noch Meisterwerke durch die Eingriffe der Ökonomen verstümmelt werden.

1993 Seit der durch neuste Computeranimation unterstützten und äußerst echt wirkenden Wiederbelebung von Dinosauriern in Spielbergs »Jurassic Park« scheint die Filmtechnik keine Grenzen mehr zu kennen.

1994 Kevin Costner geht mit »Waterworld« baden und landet den spektakulärsten Flop der 90er.

1995 Das Spielzeugabenteuer »Toy Story« ist der erste vollständig computeranimierte Kinofilm.

1996 Das Kino boomt: Die Deutschen Filmtheaterbetreiber verbuchen ihr umsatzstärkstes Jahr mit Einnahmen von 1,314 Mrd. DM.

1997 James Cameron dreht mit »Titanic« den in absoluten Zahlen teuersten Film aller Zeiten (285 Mio. Dollar).

Bibliographie

Bibliographie

Allgemeine historische Darstellungen

Engell, Lorenz: Sinn und Industrie. Einführung in die Filmgeschichte, Frankfurt 1992

Faulstich, Werner und Helmut Korte (Hrsg.): Fischer Filmgeschichte. 100 Jahre Film, 5 Bde., Frankfurt/M. 1995

Gregor, Ulrich und Enno Patalas: Geschichte des Films, München 1973

Hoffmann, Hilmar und Walter Schobert (Hrsg.): Magische Schatten. Schriftenreihe des Deutschen Filmmuseums Frankfurt am Main, Redaktion: Katrin Hoffmann, Frankfurt, 1988

Hoffmann, Hilmar: 100 Jahre Film. Von Lumière bis Spielberg, Düsseldorf 1995

McGowan, Kenneth: Behind the Screen. The History and Technics of Motion Pictures, New York 1965

Monaco, James: Film verstehen. Kunst, Technik, Sprache, Geschichte und Theorie des Films und der Medien. Mit einer Einführung in Multimedia (1977), überarbeitete und erweiterte Neuausgabe, Reinbek 1995

Nowell-Smith, Geoffrey (Hrsg.): The Oxford History of World Cinema, New York 1996

Prokop, Dieter: Medienmarkt und Massenwirkung. Ein geschichtlicher Überblick, Freiburg 1995

Sadoul, Georges: Histoire générale du cinéma (1948). 6 Bde., Neuausgabe Paris 1973–75

Thomson, Kirstin und David Bordwell: Film History. An Introduction, New York u. a. 1994

Toeplitz, Jerzy: Geschichte des Films, (5 Bde.), Berlin 1992

Zglinicki, Friedrich von: Der Weg des Films. Hildesheim, New York 1979

Filmlexika und Handbücher

Bushnell, Brooks: Directors and Their Films. A Comprehensive Reference, 1895–1990, Jefferson, N. C.: 1993

CineGraph – Lexikon zum deutschsprachigen Film, hg. v. Hans-Michael Bock, München 1984

Dictionnaire du cinéma, hg. v. Jean-Loup Passek, Paris 1986

Glossary of Filmographic Terms … Lexikalisches Handbuch für Film …, hg. v. Jon Gartenberg, Brüssel 1985

International Dictionary of Film and Filmmakers, hg. v. Nicholas Thomas, (2. erw. Aufl.) 1994

Lexikon des Internationalen Films. Das komplette Angebot in Kino und Fernsehen seit 1945, hg. v. Katholischen Institut für Medieninformation und der Katholischen Filmkommission für Deutschland, 10 Bde., Reinbek 1995, Ergänzungsbände 1995, 1996

Sachlexikon Film, hg. v. Rainer Rother, Reinbek 1997

The (Virgin) International Encyclopedia of Film, hg. v. James Monaco u. James Pallot, London 1992

Thomson, David: A Biographical Dictionary of Film, (3. erw. Auflage) New York 1996

Filmzeitschriften

Cahiers du Cinéma, Paris 1951ff.

Cinémathèque. Revue semestrielle d'esthétique et d'histoire du cinéma. Edition Yellow Now, Crisnée, Belgien

epd Film, hg. v. Gemeinschaftswerk der Evangelischen Publizistik, Frankfurt 1984ff.

Film History. An International Journal, hg. v. Richard Koszarski, American Museum of the Moving Image

Filmdienst, hg. v. Katholischen Institut für Medieninformation, Köln 1947ff.

Film-Echo, hg. v. Horst Axtmann, Wiesbaden 1963ff.

Frauen und Film, hg. v. Annette Brauerhoch u. v. a., Frankfurt/M. 1974ff.

Sight and Sound, British Film Institute, London 1932/33ff.

Variety, New York 1905ff.

Datenbanken

Baseline. Online-Datenbank, 1988ff.

Microsoft Cinemania 1994ff., CD-ROM, Redmond: Microsoft Electronic Publishing 1993ff.

The Motion Picture Guide, hg. v. James Pallot und Jo Imeson, CD-ROM, 2. Ausg., New York: Cine-Books 1994

Lexikon des Internationalen Films. Das komplette Angebot in Kino und Fernsehen seit 1945, hg. v. Katholischen Institut für Medieninformation und der Katholischen Filmkommission für Deutschland, CD-ROM, Reinbek 1995ff.

Filmmuseen

Filmmuseen und -archive in Deutschland (Auswahl)

Deutsches Filmmuseum
Schaumainkai 41
60596 Frankfurt/M.
Tel. (069) 21 23 88 30

Deutsches Institut für Film-
kunde
(Filmarchiv)
Kreuzberger Ring 56
65205 Wiesbaden
Tel. (0611) 72 33 10

Deutsches Institut für Film-
kunde
(Text- und Fotoarchiv)
Schaumainkai 41
60596 Frankfurt/M.
Tel. (069) 961 22 00

Bundesarchiv-Filmarchiv
Fehrbelliner Platz 3
10707 Berlin
Tel. (030) 86 81 – 1

Filmmuseum Düsseldorf
Schulstraße 4
40213 Düsseldorf
Tel. (0211) 899 – 24 90

Filmmuseum Potsdam
Am Marstall
14467 Potsdam
Tel. (0331) 2 36 75

Stiftung Deutsche
Kinemathek
Heerstraße 18–20
14052 Berlin
Tel. (030) 30 09 03 – 0

Filmmuseen und -archive international (Auswahl)

Australien
Australian Film Institute,
Canberra
Movie Museum, Buderim

Belgien
Musée de la Photographie et
du Cinéma, Brüssel

Brasilien
Embrafilm Cinema Museum,
Rio de Janeiro

Dänemark
Det Danske Filmmuseum,
Kopenhagen

Frankreich
Cinémathèque Française,
Paris
Musée de Cinéma,
Rue de Courcelles, Paris

Großbitannien
The National Museum of
Photography, Film and
Television,
Bradford
The Museum of the Moving
Image,
South Bank, London
National Film Archive,
London

Italien
Museo Nazionale del
Cinema,
Turin

Niederlande
Stichting Nederlands Film-
museum,
Amsterdam

Norwegen
Norsk Filminstitut,
Oslo

Österreich
Österreichisches Film-
museum,
Wien

Rußland
Eisenstein-Museum,
Moskau

Schweden
Asta Nielsen Filmmuseum,
Lund

Schweiz
Museum des Films,
Basel

Südkorea
Cheju Island Movie Town
Museum

Tschechische Republik
Museum des Zeichentrick-
und Puppenfilms,
Schloß Kratochvile

USA
American Cinematheque,
Los Angeles
Museum of Modern Art,
New York
The Hollywood Museum,
Hollywood
American Museum of the
Moving Image,
New York

Register der Filmtitel

Register der Filmtitel

Register der Filmtitel

Register der Filmtitel

Personenregister

Personenregister

Irwin, Maiy 21
Ivory, James 162

Jarman, Derek 163
Jarmusch, Jim 173
Joffé, Roland 162

Karloff, Boris 83
Kazan, Elia 115
Keaton, Buster 55f.
Kelly, Gene 112
Kirsanoff, Dimitri 58
Kluge, Alexander 138f., 142
Kubrick, Stanley 153, 166, 168
Kurosawa, Akira 120ff.

Lang, Fritz 48, 63, 74, 86, 99
Laurel, Stan 55f.
Lawrence, Florence 41
Lean, David 162
Leander, Zarah 85
Léaud, Jean-Pierre 131f.
Lee, Ang 176
Lee, Bruce 152
Lee, Spike 176
Lelouch, Claude 132
Leone, Sergio 151
LeRoy, Mervyn 82
Lewis, Jerry 113
L'Herbier, Marcel 58f.
Litvak, Anatole 86, 99
Lloyd, Harold 55f.
Lorre, Peter 74
Lubitsch, Ernst 53
Lucas, George 168ff., 177
Lumet, Sidney 165
Lumière, Auguste und Louis 8, 11, 23ff., 34
Lydia Borelli 38
Lynch, David 165

Magnani, Anna 94
Mamoulian, Rouben 83
Mangano, Silvana 96
Marey, Etienne-Jules 18
Martin, Dean 113
Marx Brothers 84
Masina, Giulietta 117
Mayer, Louis B. 101
Méliès, Georges 30f., 34
Menjou, Adolphe 101
Messter, Oskar 27
Mizoguchi, Kenji 122
Monroe, Marilyn 110
Morrissey, Paul 137
Murnau, Friedrich Wilhelm 62f., 74
Muybridge, Eadweard J. 18

Neame, Ronald 153
Nicholson, Jack 165
Nielsen, Asta 40
Nièpce, Joseph N. 16
Niro, Robert de 174

Oshima, Nagisa 155
Ötken, Zeti 147
Ozu, Yasujiro 122

Pabst, Georg Wilhelm 74
Pacino, Al 168
Pagnol, Marcel 76
Palma, Brian de 164, 167
Pasolini, Pier Paolo 144f.
Pastrone, Giovanni 39
Pathé, Charles 29, 34
Paul, Robert William 23, 30, 34
Petersen, Wolfgang 142
Pickford, Mary 52, 57
Pizetti, Ildebrando 46
Plateau, Joseph 13
Poitier, Sidney 129
Polanski, Roman 134, 152
Porter, Edwin S. 41f.
Pudovkin, Vsevolod 65ff., 72

Ray, Man 61
Ray, Nicholas 115
Ray, Satyajit 123
Reagan, Ronald 101
Reed, Carol 100
Reisz, Karel 134f.
Renoir, Jean 76f.
Resnais, Alain 134
Reynaud, Emile 15
Rice, John C. 21
Richardson, Tony 134f.
Riefenstahl, Leni 86
Rivette, Jacques 132
Robinson, Edward G. 80f.
Rocha, Glauber 148
Rogers, Ginger 79
Rogosin, Lionel 136
Rohmer, Eric 132
Rökk, Marika 85
Rossellini, Roberto 93f.
Rühmann, Heinz 85
Russell, Charles 178
Ruttmann, Walter 60

Sander, Helke 143
Sanders-Brahms, Helma 143
Santis, Giuseppe de 96
Schamoni, Peter 139
Schlöndorff, Volker 139f., 142
Schwarzenegger, Arnold 127

Scorsese, Martin 166, 174f.
Sennett, Mack 54f.
Sica, Vittorio de 95
Siodmak, Robert 74, 99
Sirk, Douglas (eigentl. Detlef Sierck) 106, 112, 141
Sjöström, Victor 57
Skladanowsky, Max und Emil 8, 22ff.
Smith, George Albert 36f.
Smith, Jack 136
Spencer, Bud 151f.
Spielberg, Steven 164, 168, 170ff., 177
Stallone, Silvester 166, 169
Stampfer, Simon 13
Stanwyk, Barbara 98, 105
Staudte, Wolfgang 92
Sternberg, Josef von 75
Stevens, George 115
Stewart, James 107
Stiller, Mauritz 57
Stone, Oliver 166
Straub, Jean-Marie 139
Stroheim, Erich von 53
Sturges, Preston 105
Syberberg, Hans Jürgen 142

Talbot, William 16f.
Tarantino, Quentin 176
Tati, Jacques 119
Taylor, Elizabeth 115, 127
Taylor, Robert 101f.
Trotta, Margarethe von 140, 143
Truffaut, François 130f., 134

Uchatius, Franz von 15
Ullmann, Liv 118

Valentino, Rudolph 53
Vertov, Dziga 65
Vigo, Jean 76
Visconti, Luchino 93

Wajda, Andrzej 145f.
Warhol, Andy 137
Warner, Jack L. 101
Welles, Orson 82, 100
Wenders, Wim 142f.
West, Mae 81
Wiene, Robert 61
Wilder, Billy 97ff., 106
Williamson, James 37
Wyler, William 102, 110

Zavattini, Cesare 95f.
Zemeckis, Robert 127, 172
Zinnemann, Fred 99